はじめまして、中島ナオです。

QOLデザイナーとして「がんをデザインする」ことに取り組んでいます。

がんになっても、QOL（Quality Of Life : 生活の質）をいかに保てるか。

私が目指すのは、「がんになっても大丈夫」と言える社会の実現です。

私は31歳の時に、乳がんという病気であることが分かりました。

この写真は、病気と分かってすぐ後に撮ってもらったものです。

失ったものは数えられないほど多く、

できなくなったことを考え始めたらきりがありません。

ある秤で見たら、まわりとの差は重すぎるでしょう。

ですが、失う経験の後に気が付いたのは、

持っているものや変わらないものも、

同時にたくさんあることでした。

今の自分を好きでいられるように。

辛い状況でも工夫したり、新しく挑戦したりすることで、

暮らしの中に楽しみを持ち続けることができました。

それでも、「がんになっても大丈夫」とはいえないのが現状で、
世界共通の大問題であることも変わりません。

だから私は「がんをデザインする」ことによって、
いまを変えていきたいと思うようになりました。

アイデアを出し続け、さまざまな場所へ足を運び、
想いを伝えることで私の頭の中で思い描いていたことが、
かたちとなって動き始めました。

がんをデザインする。

例えばそれは、『 N HEAD WEAR 』のこと。

髪があってもなくても楽しむことができる

『N HEAD WEAR』は、

ファッションアイテムとしてだけでなく、

頭髪に問題を抱えた時にも使える

ケアアイテムとしてうまれました。

どんな時にも、その時の自分に合う、

心地よくいられるものを身に付けたい。

変化が訪れた時にも

変わらず寄り添ってくれる、

ヘッドウェアをつくりました。

がんをデザインする。

例えばそれは、『 Canae 』のこと。

私たちはきっと少しずつ
無理を重ねて毎日を過ごしています。
劣っているもの、持っていないもの。
気にし始めたらきりがありません。

悩みは人それぞれ……ですが、
私たちは、毎日、それにとらわれなくていい。

今の私をあまやかそう。
今の私の魅力を更新しよう。

下着をつけていても、つけていなくても。
ファッションを楽しみ、背筋を伸ばせる、
私たちの「新しい選択肢」をつくりました。

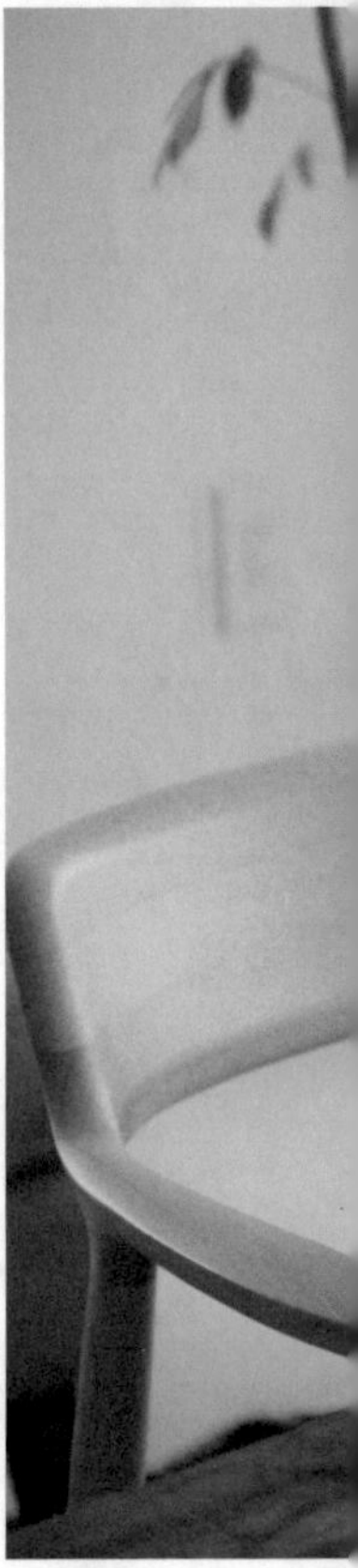

がんをデザインする。

例えばそれは、『hitowan』のこと。

治療で一変した私の生活リズムは、

1日3度の食事が基準でした。

「おいしいご飯をおいしく食べたい」

ひとつのお椀は、そんな小さな幸せを、

しっかり支えてくれます。

口の傾き、高台の切り込みというアイデアを備え、

伝統工芸ならではの塗りが存分に楽しめる、

日常使いの漆器をつくりました。

そして最後に。

がんをデザインする。

例えばそれは、『deleteC』のこと。

がんはいつかは、

治せるようになると言われています。

ならば、そのいつかを待つだけでなく、

1日でも早く手繰り寄せたい。

「がんになっても大丈夫」と

言える社会をつくるために。

暮らしの中で誰もが参加できて、

みんなでがんの治療研究を

応援していける仕組みをつくりました。

delete C

「がんをデザインする」ことを通して、
ご縁を手繰り寄せるように出会った人と
それぞれが持っているものを掛け合わせてきた
7年間をこの本にまとめました。

がんをデザインする

目次

はじめに

くらいものをあかるく、
おもいものをかるく、
かたいものをやわらかく。

がんという病気は、会社や組織の中で平穏な職場に悪影響を及ぼし、場を乱す人を「組織のがん」と呼ぶなど、ネガティブな言葉で使われるような病です。医学の進歩により、早期であれば「治せる」という側面を持つことも事実ですが、私が告知を受けた時は、既に早期ではない病状でした。

その病を抱えながらこの後の人生を歩むには、仕事、生活、恋愛……何をとっても、生きづらさを感じました。自分の病状を聞いていても、説明は難しく、病院や医師からは余裕のなさを感じることもありました。

脱毛を始めとする、数えきれない副作用を伴う抗がん剤治療。どれも残酷で、決して「大丈夫」だなんて言えない病でした。「自分で選ぶ」ことを強いられるがん治療は、どの場面も、辛い面が前面にくることが多かったのです。

でも、暮らしは当たり前に続いていきました。「自分」「社会」「治療」、この 3 つの関係を変えていかなくちゃ！ という思いから、私はどんどん行動していきました。
大学院への進学、服装や生活の工夫、副作用への対策。さらに再発・転移を経て、よりいっそうこの 3 つの関係を変えていかなくちゃ！ と、起業、新しい選択肢を作ること、がん研究の応援……と行動し続けました。これらが、今の私の全てにつながり、広がっていきました。

希望が見当たらないなら見つけたいと思ったし、駆け続けて行ったら、もしかしたら、誰かの希望になれるかもしれない！ と本気で思っていたのです。

がんは、人の美しさを奪う病気ではない。けれど、命は奪う病気です。だから、治せる病気にしたい。「がんになっても大丈夫」と言える社会を実現させたい。
そして、「がんをデザインする」ことを通して、「くらく、おもく、かたい」がんのイメージを、「あかるく、かるく、やわらかく」変えていきたい。日を追うごとに、さらに強くそう思うようになりました。

生きるとは、行動できること、会えること。その時間を目一杯楽しもう！ そのために、心地よく過ごしたい。そして、出会えたことを、いつまでも喜びたい。その事実こそが、生きたことなのだと思うのです。

もし時間があるならば、その時間を少しだけ使って、
この本を通して、ぜひ私と出会っていただけたら嬉しいです。

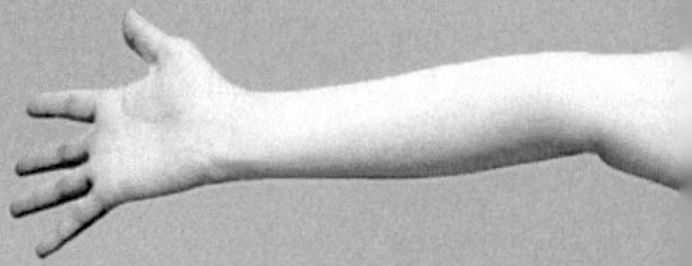

中島ナオ

この本を手に取ってくださったあなたへ

大切なお知らせ

著者である中島ナオは、2021年4月20日23時40分、38歳で永眠いたしました。「本をつくってたくさんの方に届けたい」という本人の強い意向で、仲間とともに同年2月6日から本格的に準備をして参りました。
4月18日までは、体調が悪いながらも本づくりに取り組み、ギリギリまで活動を続けておりました。一緒に制作をしていたのは3ヶ月という短い期間でしたが、その後、私たちが会話のひとつずつを実際に文字にしていく過程では、中島ナオの強い想いやエネルギーに圧倒されながら本をつくり上げていきました。

この本を通して中島ナオと出会い、想いに触れ、何か少しでも感じていただけたら、これ以上嬉しいことはありません。

書籍『がんをデザインする』プロジェクトメンバー一同

第1章 — ものがたり

悩んで、行動して、笑って、少し泣いて。
がんを告知されてからこれまで、
中島ナオの歩んできた7年間の軌跡。

中島ナオのものがたりであり、
あなたにそっと寄り添うものがたりでありますように。

01 思いもよらない告知

２０１４年２月。新卒で勤めた会社を３年で辞めた後、母校の大学にある教育関係のＮＰＯ法人で働き始めて５年が経とうとしていました。31歳でした。

年度末で、シンポジウムの準備をしたり、プロジェクトの報告書をまとめたりと、ものすごく忙しい時期でした。体調を崩し気味な毎日が続いており、なんだかおかしいな？働きすぎかな？と思っていたある日。偶然なんとなく触った脇の下に、しこりがあると気付いたんです。不安になり、「これはちゃんと診てもらわないと」と思って病院へ行きました。

病院自体に行き慣れておらず、待合室でもずっとソワソワ落ち着きませんでした。検査を受けても、その場でパッとすぐに診断されることはなく、「もしかしたらそういう疑いがある」「こういう可能性があるから次はこの検査に進みましょう」という感じ。少しずつ結果に近づいているような、近づいていないような、曖昧な状況が続きました。

ざわつくというか、「もしかしたら、がんなのかもしれない」、と当時は相当動揺したことを覚えています。年に一度は会社の健康診断を受けていたし、家族や親類にがんを患っている人もいなくて、がんという病気を身近に感じたことはありませんでした。これまで受けたことのない検査の数々に、「一体どうなってしまうのだろう」と、うろたえるような状況が続きました。

検査と検査の間が1週間ぐらい空くので、その間スマホで病気にまつわる様々なことを調べました。でも、出てくる単語や内容に馴染みがなさ過ぎて、スマホの画面を見ても、自分がどういう状況に置かれているのか、正直全くわかりませんでした。職場と病院という、極端な違いを持つ二つの場所と時間とを行き来する日々。戸惑いながらも、その都度病院で告げられるとおりに「ああ、じゃあ次はこの検査なんですね」と、仕事の合間を縫って検査を受けていきました。

そんな感じで、検査を繰り返しながら徐々に自分の病状を知っていきました。望んでいた結果とは、逆のことばかりが重なっていった。当時通院していた病院は、インターネットで検索して、クチコミを調べて、職場からの通院のことも考えて選んだ、新宿にある乳がんの専門クリニックでした。

全ての結果が出揃ったその日。私は、「乳がん」であると告知されたのです。31歳は若年性がんと言われる年齢でした。初めて検査を受けた時から、1ヶ月半が経っていました。

診察が終わり、病院から新宿駅へ向かう途中、多くの人たちが行き交う歩道橋で足が止まりました。「どこに行けばいいんだろう……」そう声に出したか出さなかったか、とにかくその場で立ちすくんでしまいました。「ここから仕事に戻ったほうが良いのか」「このまま家に帰ったほうが良いのか」「もう一度病院に戻ったほうが良いのか」といった考えが、頭の中でぐるぐると巡っていました。

考えても答えは見つけられず、とりあえず近くのカフェに入り、姉にメールをし、母に電話をしました。「どうしたらいいんだろう……」溢れる涙を抑えきれず、一人で泣きました。当時の記憶も今となってはかなり曖昧ですが、その歩道橋のシーンだけは忘れることができません。

その後、勤めていたＮＰＯの理事長に初めて伝えたのは、年度終わりの3月31日のこと。やっと報告書が完成したぞ、と一緒に歩いていた帰り道、話を切り出しました。「大丈夫だから、明日から休んで。治療に専念しましょう」。そう声をかけてくれ、翌日の4月1日から、しばらくお休みをいただくことになりました。報告時には知らなかったのですが、理事長の妹さんも乳がんを患っていたそうで、その後も親身になっていろいろと話を聞いてくださいました。

当時の私は、計画性もなく仕事に没頭していたけれど、何となくぼんやりと描いていた自分なりの「30代」というものがありました。それが、全く知らない世界に、いきなり入らざるを得なくなった。そんな状況だったのかなと思います。

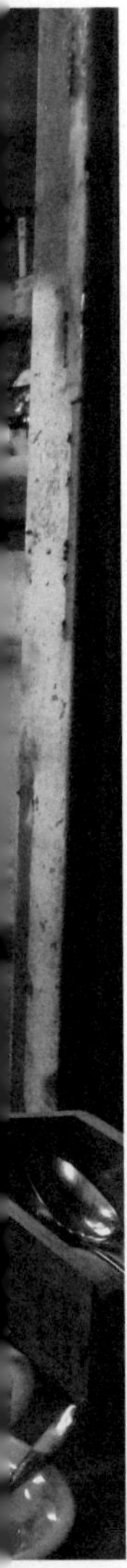

二子玉川のカフェで、今後について姉と作戦会議をしていた時の写真。これからのことを相談しながら、でも気分が上がることしたいよねって、おしゃれなカフェへ行ったり、美味しいものを一緒に食べたりしていました。（2014 年 4 月）

02 納得できるまでとことん向き合うということ

がんという病気に対して、ぼやっとした怖さはありました。でも、私にとって身近な病気ではなかったからこそ、特別な先入観は持っていなかったのです。ショックはとても大きくて、どうしてこんなことになってしまったんだろう……という思いはありましたが、「まずは自分の病状を知るところから始めなきゃ！」という意識を持つようになっていきました。

3月31日から4月1日になり、私の生活はガラッと変わりました。たった1日しか変わらないのに、通う先は急に職場から病院になりました。がんは進行具合によって「0～4」の5段階のステージにわかれているのですが、私の場合はステージ3のC期といわれる状態でした。今すぐにでも治療を始めないといけない。それには治療を受ける病院を、自分で決めなくてはなりませんでした。

とにかく情報を集めなくてはと、本をたくさん読み、ネットでたくさん検索して調べました。その中で「ここは！」と思ったいくつかの病院を回り、その先々で先生にしつこく話を聞き、メモをとっては比較検討しました。病院を回る中で、先生との会話がすごく重要だと感じるようになっていきました。自分との相性が悪い先生と話をしていると、こちらからの質問に対する受け答えなどに対してがっかりしたり、気持ちが沈んだりしてしまうことがあるんです。これでは、この先治療を続けるうえで難しいだろうなと思いました。

そんな中、通院の隙間時間で「姉妹の映画みたいだし、観てみようか」と、姉と『アナと雪の女王』を日本橋まで観に行きました。当時はまだ病気がわかって間もなく、悩みも戸惑いも多かったので、病院へはいつも姉に付き添ってもらっていました。

帰り道に、普段行かない日本橋駅の本屋さんに寄りました。本屋さんに立ち寄った時は、情報収集の一環で病気関連のコーナーを見るようにしていて、どんな本が並んでいるかチェックすることが習慣になっていました。そこで、これまでの本屋さんでは見なかった1冊の本を見つけたのです。手に取り、直感を信じてすぐに買い、帰りの電車で読み始めました。姉も私も読み終わったところで、「この先生気になる！診察してもらいたいね！」となり、先生のプロフィールを見てみたら自宅から行ける範囲に病院があったので、早速行ってみることにしました。

初めてその病院へ行き、先生とお話をした帰り道には、自分の中で「ここにしよう」と決まっていました。そこに至るまで、乳がん専門クリニック、大学病院、赤十字病院、漢方専門クリニックなど、複数の病院で様々な先生にお話を聞いた時間があったからこそ、自分の中のこだわり、大事にしたいポイントが見えてきたのかもしれません。

がんがどういう病気で、自分がどういった状態にあるのか。治療にはどのようなものがあって、なぜ受けるのか。「診察でこんなに冷静に話を聞いて、やりとりができる患者さんは珍しい」と、先生に言われました。自分のことだからこそ、しっかり理解して納得したうえで判断したかったし、自分なりに解釈したことを、自分の言葉で家族に伝えたいと思っていました。

前向きに情報収集していたように思われるかもしれませんが、実際には、調べれば調べるほど辛い情報ばかり。納得なんてできませんでした。それでも、調べて、調べ尽くして。「他には選択肢がないのか？」「これを選択しなかったらどうなるのか？」と、とにかく理解できるまで聞いて。自分なりに納得できるまで、知ることを諦めない！と、どの場面でも粘り強く進めていきました。「もうこれしかない」っていうところまでいけたかどうかがすごく大事なのだと、特に当時は思っていました。

これは、がんの治療に限ったことではないと思うのです。人に言われたから、こうするしかなかったから、と流されるように判断を任せてしまうと、後々辛い思いをした時に、「こんなことになるなんて聞いてない！」と、嫌な感情を向ける先ができてしまう状況にもなる。私は、誰のせいでもない状況をつくっておきたかった。

どの道に進んでも、やっぱり良くない面はあります。それでも、その「良くない面」をきちんと知ったうえで、「自分が判断している」という実感が、本当に大切だと感じていました。それを選んだからこそ今があるんだ、と思うことができます。

そうして選択を重ねていった先で、治療が上手くいき、病気になる以前の生活に戻れると信じて、毎日を過ごすようにしていました。

2014 年 5 月 11 日。病気がわかってから最初の 32 歳の誕生日。
ヴィーガンのケーキをお取り寄せして家族でお祝いしました。
真ん中が姉、右が父。撮影は母。

03 「ないないづくし」の自分だからこそ

初めてがんを告知された時は、継続して治療を受けていけるだけの蓄えや、近くで支えてくれるパートナー、社会的な地位・肩書き……といったものを何ひとつとして持っていませんでした。だから自分のことを、「何者でもないな」と感じていました。

抗がん剤治療を始めるタイミングで、病院の近くにアパートを借りました。通院の送り迎えをしてくれる父と二人暮らしを始めたのです（母はその頃、仕事を忙しくしていたため実家に残っていました）。「父と2人で過ごす時間が多い30代女性ランキング」があれば一位に輝けるのでは？というぐらい、私はこの後も、父と多くの時間を過ごすことになります。これが彼氏なら、旦那さんなら……と思わないこともなかったのですが、たくさんわがまま言って甘えさせてもらって、心地よい毎日を支えてくれた父には本当に感謝しています。

治療に専念するというのは、身体の辛さとともに、社会から切り離されてしまったという怖さもありました。

失うものも多く感じる日々のなか、頭の片隅では、ここで自分を止めたくない、ここで終わりたくないと考えていました。私には、もっと何かできることがあると思いたかったのです。

手帳に書かれているのは、病院のスケジュールだけ。身体が思うように動かなかったので、ほとんどを家で過ごしていました。大学で学んでいた「デザイン」と、NPOで働く中で出会った「教育」、そして新たに出てきた「がん」というキーワード。この3つを、自分が今までやってきたことを活かしながら、カタチに残せたらいいなと思い始めていました。

同時に、これからどうやって生きていこう？と考えた時に、治療を続けながら生きていくためには、仕事をしないという生活は思い描けませんでした。今後の医療費や生活費を捻出するためには働く必要がありました。ですが、当時お世話になっていたNPOの仕事はフルタイム勤務だったので、治療と並行しながらの復職は、現実的ではありません。

フルタイムでの勤務が難しいのであれば、時給を上げて自立できればと、大学院進学を経て大学講師として働く道を考え始めました。NPOの職場で、自分の生活スタイルに合わせて様々な働き方をする講師を見てきたので、非常勤の講師であれば、仕事をコントロールしながら治療も続けられると思ったからです。治療以外はずっと家にいたので、「時間だけはある！」と思ったのも理由のひとつでしたが、一番大きな動機は、やはり「今までの自分を何かに役立たせたい」という思いでした。

そうして、抗がん剤治療をスタートして3ヶ月経った夏、その秋の大学院受験に挑戦することを決めました。

同じ頃、治療は次のステップへ進み、手術をすることになっていました。なんと、大学院入試の翌日が入院日に決まったのです。まさかの日程に驚きましたが、治療と並行しての入試準備で、その日まで駆け抜けるように過ごせたことは良かったのかもしれません。抗がん剤治療の副作用により痺れる手で筆記試験を受け、髪の毛のない頭にウィッグをつけて臨んだ面接の2日後には、手術を受けていました。その後の放射線治療中に合格を知った時は、今の自分でも社会に認めてもらえたようで、これからも外とつながる生活が送れるかもしれない、と希望のような喜びを感じました。

「ないないづくし」で何者でもなかった私は、ありのままの自分で進むしかなかった。でも、何も持っていなかったからこそ、今のこの状況から何ができるかを考え、ひとつひとつ選んで行動していきました。

弟と一緒に。(2016年11月)

04 いつからでも、スタートは切れる

２０１５年、32歳の春。ホルモン治療の副作用、手術の傷、放射線治療の影響を抱えながらも、か細い毛が生え始めた頭にニット帽をかぶって、新しい生活がスタートしました。住まいも病院の近くから大学院の近くへ引っ越し、今度は母との二人暮らしが始まりました。

それまでの1年間は家の中で過ごす時間が長かったので、家族以外の誰かと話したり、過ごしたりするのは久しぶりのことでした。それこそ、通学が始まってすぐは、一人で電車に乗るのも緊張してしまうような感じでした。中学生の時は電車通学だったのですが、初めて一人で電車に乗る時って不安で、家族と連絡がつくようにしておかなくちゃとか、何かあった時はどうしようとかって考えていて。大学院に進学した時も同じ気持ちになりました。子どもに戻ったような、なんだかすごく不思議な感覚でした。そんなふうにドキドキしながら、自分のペースで、リハビリも兼ねて少しずつ外に出ていきました。

大学院では、現役大学生の時には絶対に選択しなかったような授業も、積極的に選択しました。例えば、合唱の授業や社会学の授業、体育の授業、畑仕事をする農業の授業などです。若い子たちに混じって授業を受け、とにかく楽しむようにしました。治療中だということを誰にも言っていなかったので、帽子やウィッグをかぶる頭を気にしながら、クラスメイトにバレないよう

にヒヤヒヤしながら過ごしていたことを覚えています。それこそ体育の授業では、絶対にニット帽が外れないように、ガチガチにピン留めして臨んでいました。20代のクラスメイトの中で、30代になってもいろいろなことに触れて経験する楽しさや大切さも、感じていました。

積極的に新しい環境を選んでいった背景には、新しく学ぶことも含めて、「挑戦の数を増やしたい」という思いがありました。そう思うようになったのは、「がんを患ったことによって何かを手放したり、していたことをやめたりする人が多くいる」という話を、診察中に先生から聞いたことがきっかけでした。

当時の私はというと、手放すものも持っていなければ、やめるものすら持っていなかった。だったら、もう、「逆走したらいいんじゃないか」と思ったのです。ここから始めることや挑戦することを、誰よりも増やしていこう！と思いました。誰にでも心の中に「いつか○○してみたい」というような、ぼやっとした願望ってありますよね。それを、「いつかじゃなくて、今やるんだ！」と気持ちを切り替えることにしたのです。

そうして、逆走すること、挑戦の数を増やすことを目標に掲げました。得意分野があったらそれを伸ばしていく、という話になると思うのですが、そういうものすら持っていなかった。なので、そもそも自分の可能性がどこにあるのかさえわかっていなかった。ここかな？ここかな？という感じで、とにかく探っていきました。

何者でもない自分が、がんを告知されてから何かができるようになったり、自信を持って肩書きが言えるようになったりすれば、多くの人にとって希望になるんじゃないか？とも考えていました。

大学院受験や多様な授業を受けてみることの他にも、今までだったら参加しなかったであろうワークショップや勉強会へ足を運んだり、苦手意識のあったブログやSNSを始めたりしました。私はもともと知り合いも少なく、人見知りはするし、大人数の飲み会なども苦手で、あまり人間関係を広げないタイプ。でも、がんになってからは、本当にたくさんの人に会いに行きました。今あるご縁も、直感を信じてお会いした方々に、自分の考えを伝えるということを繰り返す中で、手繰り寄せたものだと思います。もちろんたくさんの人と出会う中で、嫌な思いをしたこともありました。それでも、この人にはもう一度話を聞いて欲しいと思える素敵な出会いもあり、自分の感覚も磨かれてきたように思います。

ひとつを極めたり深めたりするには、ある程度の時間が必要で、先があると思えないとなかなか行動に移し難いことだと思うのです。なので私は、何かを深めるというよりは、いろいろな方面にとにかく動き続けていました。自分でも、「よくまあこんなにいろいろやってきたな」って一歩引いて思ってしまうくらい、たくさん挑戦してきたと思います。

そんな毎日の積み重ねで、「がんじゃなければ」という思いは年々薄れていきました。挑戦するたびに気持ちを新たに持って取り組むことができ、過去の自分 ――がんになる前の自分――とは、比較しなくなっていきました。逆走してきた結果、今の自分がいるし、「まだできることがあるんじゃないか？」という前向きな気持ちにつながっていると感じます。「自分の可能性を止めたくない！」と思い続けています。

お正月に伊豆旅行へ行った際に寄ったパーキングエリアにて。
富士山が見えたのでジャンプ！（2016年1月）

05 「今の自分」を好きでいるために

抗がん剤治療にともなう副作用や手術による影響には、様々なものがあります。例えば、手や足の裏が痺れて、感覚が伝わりにくくなることも。手にしっかり持ったはずの器を落としてしまった時は、とてもショックを受けました。つまずいたり転びやすくなるので、歩く時も注意が必要です。他にもいくつかありますが、日常生活を送るうえで私にとって大きな問題となっていたのは、脱毛でした。

久々におしゃれをして友人と会っても、無理に付けたつけまつげが浮いてきてしまって落ち込みました。抗がん剤治療を終えたあとも、頭頂部の髪がなかなか生え揃わず薄毛に悩んでいたので、大学院には年中ニット帽をかぶって通学しました。つば付きの帽子だと室内ではかぶり続けられなかったので、何種類かの帽子をかばんに入れ、トイレでかぶり変えるという工夫もして過ごしていました。当時のクラスメイトからしたら、年齢もよくわからないし、夏だろうと体育の授業だろうとずっとニット帽をかぶっている変な人って思われていただろうなあと思います。

帽子に合わせてカジュアルなファッションが増え、もうスカートをはくこともないのかなと思った時は辛かった。でも、「治療が終わればいつかは元の髪に」という淡い期待がありました。

大学院に入った年に代々木公園で開かれたヨガにて。
頭にスカーフを巻いて参加しました。（2015 年 7 月）

しかし２０１６年、34歳の秋。大学院での学びを活かせる仕事が徐々に現実味を帯びてきたという頃、他臓器への転移がわかりました。新しい就職への可能性を掴むために挑んだ教育実習を終え、春からの生活に気持ちが向き始めていた時でした。病気とわかってから2年半。それまでもステージ３Ｃというなかなか受け入れがたい病状ではありましたが、ステージ4になり、不確かすぎる未来がさらに見えなくなってしまい、さすがに診察室でも涙が溢れました。病気に対する恐怖を改めて感じた時でもありました。

転移は、誰もが恐れているというイメージがあったからこそ、がんに関する本を開いても、これまであえてそのページを開いたことはありませんでした。自分には関係ないものとして考えていたかったからです。そのため、新たに今の病状と治療の選択肢について知るところから始まりました。再び生活が一変し、様々な情報に混乱する日々。ただ、今までと大きく違ったのは判断のスピードでした。悩みはあっても、迷いはなかった。それまでの治療を通して、その時々の問題と納得いくまで向き合い、自分で決めてきた経験があったからこそだと思います。

ほんの少し生え揃ってきた髪も、再び失うことになりました。前回の治療で失った時には、一応「半年の治療だよ」という約束があった。じゃあその期間だけ我慢しようと思って、ウィッグなど様々なアイテムで工夫して生活をしていました。でもステージ4になり、再び治療を始めることになった時には、終わりの約束がなかった。約束がないということは、この状況がいつまで続くのか誰にもわからないということです。ずっと治療を続けるとなった場合には、もう一生髪の毛がない生活かもしれない、そんな大問題に直面しました。

「いつかは元の髪に」と思えていた時と、「もう二度と元の髪に戻らない」となった時とでは、状況が大きく異なるわけです。そこからは、とにかく考えて、考えて、考えました。「黒髪ロングが美しい」であったり、「こういう髪型がウケがいい」って誰が決めたんだろう？とか、「普通」ってなんだろう？とか、どうしたら身支度をまた楽しめるようになるんだろう？とか……本当にいろいろなことを考えました。心のどこかで過去の自分の姿を追い求め、隠すように帽子やウィッグをまとって我慢している自分自身に、違和感を抱いていました。

髪の毛がなかったら生きていけないのかと言われると、そうじゃない。考え抜いた末、「髪の毛がないという、今の自分の状況を前提にしたらいいのではないか？」というところに行き着きました。今の自分を前提に考えていったら、全く違うファッションアイテムができるんじゃないか。それが、髪があってもなくても楽しめる、新しいあたまのファッション『N HEAD WEAR（エヌ ヘッド ウェア）』[*1]が生まれるきっかけとなった、大きな問いでした。

全ては、「今の自分」を好きでいるために。過去の自分や周りと比べるのではなく、今の自分を見つめて考えるようになりました。少しでも心地よくするための工夫。よりよい選択肢を探

*1 詳細は 128 ページ参照

すこと。失ったものではなく、持っているものに目を向け、行動し始めたのです。

まずは自分が身につけていられるものをつくろうと、ひたすら手を動かして、慣れ親しんだ編み物で帽子をつくってみました。自分がかぶりたいと思えるヘッドウェアを考えている段階から、自分と同じような悩みを抱えている人たちのことも想像して、たくさんの人に届けるために商品化の構想を持っていました。

コンセプトとして自分の中に強くあったのが、「髪の毛があってもなくても楽しめる」ということ。髪の毛が「ない時用」とか「ある時用」とかになると、それらのアイテムはその時々にしか使えないんです。様々な変化があり、いろいろなアイテムを身につけて過ごしてきた時間があったからこそ、気付けたことだと思っています。

初めて病気とわかった時に、私はたくさんのヘアアクセサリーを箱に入れて仕舞いました。それらは髪の毛がある時にしか使えないものだったからです。その後、薄毛に悩まされていた時に、部分用ウィッグという頭のてっぺんにつけるタイプのウィッグを購入しました。メンテナンス付きで、私にとってはとてもとても高額なものでした。けれど、購入した半年後に転移がわかったことによって、その部分用ウィッグも箱に入れて仕舞うことになってしまいました。

自分が大切にしたいものやお気に入りのものを手放さなくてはならないということが、病状

スカーフやハット、ニットキャップ、ベレー帽といったかぶりものを、シーンに合わせてコーディネートしていました。
スカーフに関しては、柄はもちろん、頭に巻きやすいような大きさや形にもこだわっていました。

もともと気に入って身につけていた、ヘアアクセサリーたち。
スウェーデンの IKEA で買った子ども用のランチボックスに入れました。

や治療とは別にして、とても辛いものとして感じられました。だからこそ、自分の変化に寄り添ってくれるアイテムをつくりたい。そんな強い思いが、根底にありました。

当事者だからこそのこだわりは他にもたくさんあって、素材や色はもちろん、「髪の毛がない人なんだな」と思われないように、シルエットなどのボリューム感も大事にしていました。仕方ないからかぶるのではなくて、ファッションとして心から素敵だと思えるものを身につけたかったし、つくりたいと思っていました。

ですが、今まで帽子をつくったこともないし、ましてや何かを世に出したこともない。『N HEAD WEAR』を世の中にお届けできるようになるには、専門的な技術や知識が必要でした。

自分で編んだヘッドウェアをかぶっていた時、病院で出会った女性に「素敵ね！でも私にはちょっと派手かも」と言われました。彼女は、私の母親くらいの年齢で、通院時にはいつもオシャレをしている素敵な方でした。「彼女に似合う上品なヘッドウェアをつくろう」と思い、素材を探し始めました。何かいいものがないかなあと偶然立ち寄ったのが、東京ビッグサイトでのファッション関係の展示会。そこで、のちにF-LINEの素材となる西陣織と、杉野服飾大学の先生に出会い、商品化に向けて一気に話が進んでいったのです。

『N HEAD WEAR』を身につけ始めてからというもの、前を向いて歩けるようになったような感覚があります。それまでは、街に出るとすれ違う人の視線が気になって、ろくに人と目が合わせられずうつむきがちな時期もありました。電車の中でも、ウィッグってバレてないかな？とか、いつでもどこでも帽子をかぶっているけれど、変だって思われてないかな？とか、ウィッグの頭で会った人に次の時帽子だけで会ってしまって、いきなり髪がなくなったって思われてないかな？とか。心配事は尽きませんでした。

そんな中、試作中の『N HEAD WEAR』をかぶって出かけていた時のこと。バス停ですれ違った女性がわざわざ私のところに戻って来てくれて、「あなた、素敵ね」と声を掛けてくださったのです。それ以上に会話をしたわけではないのですが、「今の自分でも褒めてもらえた！」という気持ちになり、とても嬉しかったことを覚えています。失うものやいろいろな変化がある中で、下を向いて歩いてしまうような気持ちの時もありましたが、そのままの自分を認めてもらえたようで、「今のままの自分でいいんだ！」と思えた瞬間でした。それからは、前を向いて人と会ったり、話したり、「今の自分」をどんどん楽しめるようになっていきました。

今では毎日、「どれを身につけようかな」と、身支度やファッションを楽しむことができています。『N HEAD WEAR』は、パッと手に取ってパッとかぶればいいだけなのでとても手軽だし、かぶり方を変えるだけで印象を変えることもできます。「髪の毛より自由かも」と思えるぐらいにまでなりました。そして何より、髪のない自分のことも、好きになれたのです。

価値観や捉え方、見せ方、デザインが持つ力というのは、本当にいろいろなところに可能性がある。そして、生活を変えてくれるものであると、実体験を通して強く感じるようになりました。

そんな『N HEAD WEAR』が目指しているのは、〝メガネのようなアイテム〟になること。メガネは、もともと視力を補うものとして誕生したアイテムですが、今ではファッションアイテムとしてたくさんの種類があり、視力にかかわらず身につけることを楽しんでいます。メガネを身につけている人が目立って変に映ったり、視力が落ちていくということに対して、特別ネガティブな印象を受けたりすることは少ないように感じます。

いつか、『N HEAD WEAR』がメガネのようなアイテムになれた時には、髪の毛に対する悩みであったり、髪の毛を失うことに対するネガティブな認識自体も変えていくことができるのではないかと、ワクワクしています。

自分という要素が１００だったとします。治療で変わったこと、例えば「髪が抜けてしまったこと」があったとしても、その変わったことはきっと20ぐらいで、残りの80は変わらず自分のまま。髪の毛がなくなったとしても、いきなり年齢が変わるわけでもないし、顔や形が変わるわけでもない。自分の目で見て、足で歩くことができます。できることを数えていくと、まだまだあるなあと思えました。

このように考えられるようになるまで時間はかかりましたが、視点を変えてよく考えてみると、『N HEAD WEAR』をつくる一連の体験を通して「失うものばかりではない。今の自分には変わらないものもまだまだある！」ということに気付くことができたのです。

【コラム】2019年11月12日　取材中に語ったこと

自分のこと好きって言いきれないかもしれないけれど、好きでいられるように心がけてはいるかな。コンプレックスって、挙げだしたらきりがない。このテーマにはとても関心があって、話し始めると止まらないんだけど……ぎゅっとまとめて話すね。

私の経験上、下手に比べられるぐらいの差って、一番悩んだり辛く感じちゃったりすると思っていて。例えば髪の毛の悩みでいうと、くせ毛。学生の時は、本当にサラサラヘアに憧れていて、可愛いし、いいなあって思ってた。でも、こうやって髪の毛がなくなると、もはやいろいろな前提が違うの。

私は『N HEAD WEAR』に行き着くまでの間、いろんな問いを自分の中で立てていて。私たちは、さまざまな情報に踊らされながら生きてきていると思うんだけど……たとえば、雑誌に「黒髪のサラサラロングヘアがモテる」ってあったり、「この髪型が先輩ウケが良い」ってあったり。ふと、「それは誰が決めたんだ？」という問いを、自分の中に持つわけです。「本当にこれがモテるのか？」とか、「それは何人に聞いた結果なのか？」とか、「はたして、その髪型にした人は、パートナーと幸せに過ごせているのか？」とか。

結果はきっと誰も測れていなくて、それらの情報は、誰かが言いだした根拠のないことだったり、企画としてそういう特集を組みたくて掲載していることだったりするんじゃないかな。

そんなことを考えだしたら、「普通」や「正解・不正解」や「イケてる」って、本当にあってないようなもので。そういうことに振り回されるよりも、自分が持ってるものを見つめていかに楽しむか、どうしたら心地よくいられるか、好みに近づけるか。そんな考え方でいくと、自分を好きでいられるように、工夫もできるんじゃないかなって。

若い頃、体毛をすごく気にしていた時期があって、一生懸命そってはどうにかならないかなって悩んでたの。でも、治療の影響で、一回あらゆる毛がなくなって全身ツルツルになった時、それはそれでちょっと困るなあ、と思ったことがあって。そんな経験を経て、これはこれで気持ちいいかも、と思えたり、生えてくる毛が逆に愛おしいと思ったりすることも。「がんばって生えてきたね」って。

毛のないツルツルの腕や足だけが美しいのかな？こうやって、ぽやぽやって生えてきてる毛も美しいんじゃないかな？って考えたり。ほぼほぼスキンヘッドの髪の毛のない姿も、「これも美しいといえば美しいかな」って、暗示みたいに視点を変えて見てみる。もしかすると、時代や国が変われば、黒い髪の毛って実は奇妙なのかな？　スキンヘッドのほうが好まれるのかな？　とか。

そんなことを一つひとつ考えていると、やっぱり価値観ってあってないようなものだし、それに縛られて悩むのはもったいないよなって思えてきて。だったら、自分の持っているものを輝かせるほうがよっぽど良いんじゃないかなって。

努力してもどうにもならないことにとらわれすぎていると、その先に進みにくい。「がんにならなかったら」っていう思いを引きずって、どうにか過去の自分に戻れないかって過ごしていた時間もあったからこそ、よりそう思う。でもしょうがないんだよね。もうがんになっちゃってるし。がんにならなかった自分や、なってない人を「いいな」って思ったところで、どうにもできない。今でも、比べたりへこんだり悩んだりはするんだけどね。でも自分が心地よいほうが、毎日が過ごしやすいなっていうのは感じているかな。

手術に向かうまでの間、胸についても考えていた時期があってね。手術で失った胸の再建に関する情報を集めていた時、胸の要素を分解して考えてみたの。

何を優先したいかって人によって違うなあって。胸の柔らかさだったり、大きさだったり、左右のバランスだったり。文化もあると思う。例えば、日本に比べて、海外のほうが谷間の強調されるファッションに馴染みがあったり。そう考えた時に、これまで私はそういったファッションはしてこなかったけれど、この先好みが変わって、谷間を見せるファッションをするのかな？　とか。

あと、私は温泉が好きなので、温泉でのシーンも想像してみたの。わざわざ胸を強調しながら入ることもないし、今までもそんな人は見たことがなかった。実際に、手術をしたあと何度も温泉に入っているけれど、多少気にしながらも問題なく入ることはできていて。

胸を失うことへの喪失感はあるけれど、「再建が保険適用になったから再建するべき」みたいに、正解・不正解で考える必要はないのかなって。

価値観はいろいろなはずなのに、それが枠にはめられてしまっているような場面も多くあって。そのたびに、こんな風に深く考えているんだよね。

06 日常に寄り添ってくれるもの

治療中は、一日の予定が「食」だけみたいな日もありました。例えば予定もなく体調も悪いと、朝ごはんを食べ、ちょっと寝て、昼ごはんを食べ、休んで気付けば夜ごはん…といったふうに、食べることと寝ることしかできないで一日を終えるという日が増えました。

「食」はどんな状況であっても必要だし、楽しみのひとつ。何を食べるかも大事ですが、同じぐらい「何で食べるか」も大事だと思っています。私は治療中の日々で、器に助けられることが多々ありました。その器というのが、大学の卒業制作でつくった漆のお椀、『hitowan（ヒトワン）』[*2]です。

大学生の時に、足を運んだ会津若松で漆に出合った私は、伝統工芸としての技術力の高さやその美しさにすっかり魅了されました。同時に、私の生活では身近に漆がないことを残念に思い、「自分が使うなら」「まだ使っていない人に使ってもらうには」という視点から、欲しいと思える新しいアイテムをつくることに決めました。

木地師さん、塗師さん[*3]らの工房を訪ねるために会津若松に通い、悩み考えた結果、私はお椀をデザインしました。お椀は、手で持ち、口に運ぶもの。そして毎日使えるものだからこそ私たちの生活との接点が多く、「漆の魅力を一番感じることができる」と考えたからです。

*2 詳細は 154 ページ参照

*3 木地師：ろくろを挽いて、椀や盆等の木工品を加工、製造する職人。
塗師：木地師がつくった木工に漆を塗る職人。

社会人になって生活は仕事中心になり、食事はコンビニで簡単に食べられるものを選んだり、時間がなく外食で済ませたり、不規則な時期もありました。その後、がんの告知を受け治療が始まってからは、私はほとんどの食事を家や病院で食べることになりました。

治療に伴う副作用の影響もありましたが、入院中にとるプラスチックの無機質な器での食事に、普段は食べることが好きな私でも食欲が落ちていきました。退院して改めて『hitowan』で食事をした時、器がそっと寄り添ってくれているような感覚を持ちました。

やわらかな手触りと軽さは副作用で痺れる手を助けてくれたし、味覚障害といわれる症状の中でも、器のやさしい口当たりは救いでした。高台に入れた切り込みのお陰で、洗いっぱなしにできる手軽さもまた、洗いものの負担を軽減してくれました。何より治療中の生活において、『hitowan』で食べる具沢山の味噌汁は、毎日の楽しみになりました。

治療とお椀。一見、結びつかないように思えるかもしれませんが、私の不自由な生活をさりげなく助け、不安に揺れる気持ちを救ってくれたのです。社会人生活、大学院生活、治療をしながらの生活……状況が変わろうとも、『hitowan』は、変わらない良さで私を支えてくれました。

そんな実体験から『hitowan』の価値とその先の可能性を確信し、卒業制作でつくった1点もののお椀を、より多くの人に届けたいという気持ちが強くわき上がってきました。いろいろな人に『hitowan』を見せて回る中、「これいいじゃん！応援するよ！」と言って、私の背中を押してくれたのは、まだ『deleteC』[*4]が生まれるずっと前、出会ったばかりの小国士朗さん[*5]。改めて、『hitowan』を多くの人に届けられるのであれば、プロジェクトとして進めていきたいと思いました。すぐに行動へ移そうと、10年ぶりくらいに産地である会津若松の職人さんに会いに行きました。ご挨拶をして、今の自分の状況も伝えて、商品として制作していただけるか相談しました。

そして、２０１７年2月。生まれて初めてのクラウドファンディングを立ち上げました。クラウドファンディングを始めたきっかけも、いろいろなことが重なってのことでした。ひとつは、転移によりステージ4になっていたこと。もうひとつは、今まではさらに違う治療と生活が始まることでした。『hitowan』の商品化は、具体的にスケジュールを引いていたわけではなく、いつか叶えたいなと思って準備を進めていました。でも改めて治療が始まることになり、「そんな悠長なことも言ってられない、やるしかない！」というモードに切り替わったのです。

クラウドファンディングは、開始から3ヶ月足らずで目標金額の3倍に。多くの方に共感いただき、商品を購入あるいはサポートしてくださいました。今ではナオカケルのオンラインストアに並び、多くの方に愛される商品となっています。

人はきっと、生まれてから死ぬまで「おいしいご飯をおいしく食べたい」と思うのだと思います。ひとつのお椀は、そんな小さな幸せを、しっかり支えてくれます。いかに自分の状況が変わろうと、変わらず日常に寄り添ってくれるものをつくりたい。そう再認識した瞬間でもありました。

*4 詳細は164ページ参照
*5 現deleteC代表理事

07 「白」でも「黒」でもない「グレー」

みなさんは、「がん」という病気にどんなイメージを持っていますか？

私は、がんを取り巻く情報やイメージに、「白」か「黒」の両極端で描かれていることが多い印象を抱いていました。「完治」とか「消えた」という言葉と一緒に発信される、「生（治る）」をテーマにした「白」く描かれる世界。「絶望」とか「遺族」という言葉と一緒に発信される、結末が「死」をテーマにした「黒」く描かれる世界。でも、当事者になって知ったのは、そのどちらでもない「グレー」の世界でした。

自分のことを考えてもそうですし、見てきたものも、出会ってきたものも、「グレー」のグラデーションの中で生きている方ばかりです。そこには、治る、治らないではない、ごく普通の生活があります。がんと一緒に生きている人たちっていっぱいいるんです。みんなが抱いているイメージや認識と現実にはギャップがあり、極端に偏っているなと感じました。

大学院生活で、社会との接点が少しずつ増えていくと、がんという病気が実際周りにどう映るのかを意識せざるを得ませんでした。特に、病名に対する認識の差には驚かされることばかり。思いがけない言葉や反応が返ってきて動揺し、傷つくことは数え切れないほどありました。

例えば、半年ぶりに会った人に「元気なんだ」と驚かれたり、「あれが最後だと思った」と普通に言われたり。過去に取材した患者さんが亡くなられたことにショックを受けたライターさんの知人の方から、「また傷ついてしまうから、彼女はナオさんに会わないほうがいいんじゃないかみたいな話も出たんです」と言われたりもしました。

がんを患った方に対して、「この人死んじゃうんだな」って、当たり前に思われてしまうような、偏った認識みたいなもの。そう思われること自体がすごく悲しいし、そう思われているかもしれないと感じながら誰かと会ったり話したりすることは、とても辛いものに感じられました。なんでそう思われてしまうんだろう？という違和感は、避けようと思って避けられるものではなかった。がんを患って生活していく中では、避けようがないものだったのだと思います。そんな病気を抱えてしまった自分の扱いに戸惑い、病名を誰に伝えるべきか、どうやって伝えようか、その都度悩んでいました。そしてがんというフィルターがかかってしまうと、そこから新しいものも生まれない気がして、生きづらさを痛感していました。

「がん」という言葉が極端にマイナスに取られてしまう言葉である以上、できるだけがんを患っていることを言いたくないという方や、誰にもわからないように治療を進めたいという方がいると聞いたことがあります。そういう背景には、伝えたことで生活しづらくなってしまったり、働きにくくなってしまったりする現状があるのだということを実感しました。

私自身、病名を告げて理解してもらい、さらには雇ってもらうことができるのか？という点には、やはり大きな不安がありました。なので、転移が発覚した後に大学講師として働くことが決まった時は、ものすごく嬉しかったです。履歴書には病気のことも書いていたので、病名を隠さなくても働けたことは大きな自信になっているし、学生たちに病気のことを伝えながら授業を進められたことは、とてもいい経験になりました。

がんを告知されてから3年が経った、２０１７年。このような違和感を抱えていた私は、ついに「発信すること」をし始めました。実名と顔、病名を出してのブログ『“N” CANCER STYLE』を立ち上げ、同時にFacebookやInstagramといったＳＮＳでも、自分の姿や日々の様子を発信することにしたのです。

元々は、インターネットに情報を載せたり、ＳＮＳを利用したりすることにかなり抵抗がありました。自分が写っている写真を他の人がアップするのも嫌がって、姉にタグ付けされて怒ったこともあったぐらい。実はとても慎重で、どちらかというと目立ちたくないタイプ。それでも、勇気を出して、意を決して発信し始めたのは、「がんのイメージを変えたい！」と心底思っていたからでした。がんと一緒に日々を生きている人たちのことを、「グレー」のグラデーションある世界を、発信したかった。

「グレー」という言葉に対して、もしかしたらあまり良くない印象を持っている方もいるかもしれません。ですが、「グレー」は決して中途半端だとか、濁っているという意味ではないのです。

ミラノデザインウィークで『hitowan』を展示できることになり、イタリアに行った時のもの！
見た通り、元気は 元気でとっても楽しみましたが、実は、髪の毛やまつ毛など、毛が全くない時期でした。
左は、ものがたり食堂のさわのめぐみさん。（2017 年 4 月）

イタリア滞在中、ジェラート屋さんを見つけるとすぐに入ってジェラートを食べていました。イタリアのジェラートは本当に美味しい！

姉の仕事について行った、「ボローニャ・チルドレンズ・ブックフェア 2017」。世界各国の児童書出版社さんのブースが可愛くて写真を撮りました。

「グレー」ってとっても表情豊かで、幅広い色です。深いグレー、明るみを帯びたグレー、さらにはキラキラと輝くグレー。みんな違うのです。私たちは、「白」か「黒」という二色でなんか語れない！そう思いながら、小さく動き始めました。

正直、自分の置かれた現状に涙が溢れたこともあります。でも泣いていても、どこかに冷静な自分がいて、ふと、「いつまで泣いているんだろう?」とか、「泣いていても何も変わらないな」とか、そういう思いが浮かんでくる。もちろん、病気を患ったことや転移したっていう状況は本当に辛いものだし、悲しいこともたくさん起こります。ただ、それでもご飯を食べてお風呂に入って寝て、次の日が来る。日々の生活は続くわけです。その中でずっと泣いていたり悲しんでいたりすること自体が、ちょっと邪魔になってくる。

「怒り」に置き換えてもいいと思うのですが、例えばずっと怒っている状態って、生活しにくくて仕方がないと思うんです。家族の誰かがずっと怒っていたりすると、会話も成り立たないですし、本人も疲れてくる。一緒に住んでいる人と気持ちよく生活したいなという思いは、無意識に働くものなんだなと感じました。怒っているだけではなくて、笑顔になる瞬間やありがとうと感謝する瞬間がある。それって、がんになったからといって持てなくなるのかと言ったら、そんなことはないと思います。もちろん悲しいし、辛いけれど、生活は続いていく。

私はよく、「元気そう！顔の色艶がいいね！」と言われます。嬉しいです。実際、元気な時もありますし。けれど、もちろん以前のようにいかないこともたくさんあります。頑張って元気に見せようと努力していることもあります。「なんだ、全然平気そうじゃん」「思っていたより、元気だ」って思った時には、きっと、そこには工夫や努力があります。思っているより、病気ではない時の状況とは違います。実はね、頑張っています。

一方「え、大丈夫なの？ そんなふうにしてていいの？」「病気なんだし、無理しないで」って思った時には、きっと大丈夫です。思っているより元気で、制限されるより、いろいろやりたいです。実はね、大きくは何も変わりません。

接する時に持ったイメージが、プラスに思える時には少しマイナスに、マイナスに思える時には少しプラスに捉えてもらえると嬉しいなと思います。がん患者に限らずみんな、そうかもしれません。そんなふうに、少し相手の背景を想像して接することができたら、優しいやり取りになるのかもしれません。

イタリア・ボローニャにて、姉とチーズ屋さんの入り口で。海外へ行った際、現地のスーパーや食品店を回るのが大好き！（2017年4月）

08 生きている「今」の時間を共有したい

がんと告知されてから、ふとした瞬間に、お葬式について考える時間を持つことも少なくありません。私の場合、31歳の時に「5年で長生き」と言われたわけですから、考えたくなくても、考えてしまいます。

もしかしたら、私が考えていることはちょっと変わっているかもしれません。自分の大切な人のことを想像してみると、亡くなるということは確かに悲しいことだと思うけれど。その時にはきっと、その人と出会えたことを嬉しく思い、その人と一緒に過ごした時間を大切に思い、たくさん感謝すると思うんです。自分がそう思ってもらえる人間になれるかどうかはわからないけれど、やっぱり、私がいない今後の時間を悲しむより、私がいた今までの時間を喜んで欲しい。

それはきっとみんな一緒なんじゃないかな？と思います。だって、生きていた時間があるわけですから。お葬式が悲しいだけのものではなく、「人生を祝う集まり」になれば、きっと笑顔があふれる、素敵な空間になると思います。

でも、そこに本人がいたらきっともっと楽しいんじゃないかな？そう考えた私は、２０１７年から、「自分の生誕祭」を自分で開催し始めました。生誕祭とは「その時の自分のことと日々の感謝を、集まってくださった方に向けて目一杯伝えて、好きなことをする会」です。開催の度にバタバタしてしまうけれど、周りの人の協力もあって、毎度、やって良かった！と思える嬉しい時間を持つことができています。

改めて考えた時に、生きるというのは人と会える、行動できること。死はそれができなくなることだと思います。だから、今のうちにできるだけ人に会っておきたい。ご縁を手繰り寄せるような意識でいます。時がきたタイミングで何もしていなかったら絶対に後悔するなと思うんです。動いていなければ、やっとけばよかったなあと。

そして、私が叶えたいと思っている「人生を祝う集まり」には、本人がいます。だって何より最高なのは、生きている「今」の時間を共有できることですよね！きっと。

2017年5月11日、35歳の生誕祭にて。左から弟、姉、従姉妹。

2018年5月11日、36歳の生誕祭にて。
歌を歌ったり絵本の読み聞かせをしたり、
40名以上のたくさんの方にお祝いしてもらいました。

09 実は誰でも手にできる、「デザイン思考」

大学院で研究していたのは、「デザイン教育」という分野でした。デザインとは、問題解決へ向けてポジティブなアイデアを出し、行動すること。そして、中身、主観、身の回りをより豊かにするために仕組みや物の新しい価値をつくる考え方や、問題解決に効く考え方を、一般的に「デザイン思考」と捉えるそうです。

よく、「病気と向き合う」みたいな言葉を使われることがあるのですが、私は病気と向き合っている感覚はあまりありません。病気になった自分というものはありながらも、病気は自分の一要素でしかないので、結局は自分と向き合ったり、生活と向き合ったりしながら、工夫して毎日を暮らしていくことの積み重ねなんだろうなと思っています。

自分なりに考えてたどり着いたそんな思いや、生活での工夫を周りの人に話した時に、「そういうこと言うがん患者さんって初めて」と珍しがられたこともありました。心理学の先生や多くのがん患者さんと親交のあるライターさんから「レジリエンス（困難な状況でもしなやかに適応する力）が高いね」「考え方がニュートラル（偏りがない）だね」と言われたこともあります。なんでそういったふうに言われるんだろう？と自分なりに考えていたのですが、ある時ふとつながったのが、「デザイン」と言うキーワードでした。

知らず知らずのうちに自分の中で働いている思考の方向や過程が、どこかデザイン的なんだと気付いたのです。目の前の結果や状況に対してそこで終わりではなくて、ニュートラルに捉えてみたり、そこからの展開を考えたり、ポジティブに変換することができないかということをいつも考えたりしていました。「がんを抱えながらの生活に、デザインが作用している」という気持ちは次第に強くなっていき、それをもっと探りたい、学びたいという想いが湧き上がったことも、大学院へ進学した理由の一つでした。そしてその気付きは、その後「がんをデザインする」ことへとつながっていきます。

患者会など、病院の中で定期的に開かれるがん患者の集まりがあって、何度か足を運んだことがあります。参加したことによって様々な気付きがありました。ある時、６人くらいの患者さんが集まって自己紹介をしたのですが、その際「一言ずつお願いします」と言われました。私は必要最低限の自分のことを話したのですが、中には、辛かった経験から、悲しみと後悔の言葉が溢れてしまう方が何人かいました。病名告知から手術を経て、現在に至るまでの苦しい日々のこと。何かを恨んでいるかのような言い方に聞こえました。そして同時に、そのように苦しみや悲しみを話す顔は、そこに集まるみなさんの中で誰よりも暗く見えました。

よくよく聞いてみると、その方の身に起きていることは、他の患者さんとあまり変わらないことだったりします。「考え方や捉え方で、同じ事実でも感じ方がこんなに変わってしまうんだ」と、衝撃を受けた瞬間でした。

もちろん、辛いとか、恨みたいという気持ちは私にもあります。でも、ただでさえ辛いのに、考え方までネガティブになってしまうとより辛くなってしまうんじゃないか。できることなら考え方は和らげられたらいいな、と思った出来事でした。

同じ患者さんの中では、逆に全てをポジティブに変換している方もいます。個人的には、それはそれで違和感を覚えることもありました。例えば、「キャンサーギフト」という言葉があります。がんになって新たに気付きを得たり、新たな出会いがあったり、感謝する出来事が起きたりすることを、「がんからの贈り物」と意味付けた言葉です。「私にとってのキャンサーギフトは◯◯です」ということを話す場もありました。

仮に良いことが起きたとしても、私には「がんになったこと」をギフトと捉えることはとても難しかった。どう考えても、がんからもらえる素敵な贈り物なんてひとつもなくて。その言葉自体が受け入れ難く感じていました。進行は人それぞれだし、いろいろな側面のある病気だと思うので、「キャンサーギフト」という、がんになってよかったとも取れるような言葉が独り歩きしてしまったら、世間の認識に偏りが出てしまって怖いなとも感じていました。

振り返ってみると、がんによって壁にぶつかったその時々は、その先を掴むためのチャンスだったんじゃないかな、とは思うのです。がんになって何か良いことが訪れる＝ギフトではなく、その大きな変化はひとつの機会＝チャンスにしかなり得ないのではないか、ということを考えるようになりました。

友人に誘ってもらいホテルのプールへ。水着もヘアスタイルも試行錯誤で準備して行きました。行くまでは心配なことが多かったけれど、行ったらとても楽しかった。（2017年8月）

そうしたチャンスのひとつに、今の私はもしかしたら幅広い年代の架け橋になれるのかもしれない、という考えがありました。同世代の30代や40代は働き盛りでパワーもあるし、講師やプロジェクトなどの活動を通して10代や20代の自分より若い世代の子たちと関わることもできます。そして、私の最大の特徴は、30代でありながらも、副作用によって親よりもずっと上の世代の方たちと同じような感覚を体感しているということでした。年の離れた90代の友人と話をした時、抱えている悩みが同じだったのです。重たいものは持てないし、身体は常にどこか痛みがあるし、手足は痺れがあるし、無理をすると回復するのに時間がかかる。

アクティブに動き、新しいアイデアを生み出し続ける人たちと一緒に活動しながら、歳を重ねないと知らないような感覚も持って生活しているんです。これは、ひとつのチャンスかもしれない。デザインをしたり、商品を提案したりする時に、必ず役立たせたい！と思いました。

「がんをデザイン的に考える」という話をすると、「持って生まれた思考だから」、「あなたは特別だから」、「私は違うから」などと言われたこともあります。そうではなくて、ただ単にそういった考え方に慣れていないだけで、いくらでも、今ここから変えていけるものなんじゃないかなと思うんです。思考方法の話なので、きっと、自分の中で変えていけるはず。

がんに限らず、生きていれば本当にいろいろな変化があります。マイナスに感じられるようなことは、歳を重ねれば重ねるほど、誰にでも起きるんじゃないかと思います。そんな時に、「触れられていてよかった」って思えるようなちょっとした考え方のコツというか、ピースのようになるものがあったらいいな、と以前から考えていました。そのような想いから、大学院の卒業研究では、自分の考える「デザイン思考」についてを自身の体験に基づいてまとめ、発表することもしました。

「こういう考え方ってあるんだ」、「自分ってこれにとらわれすぎていたな」などと思えるような気付きやきっかけになったり、思い込みを少しでも解いたり、「自分はどうしていくか？」と自分自身に向き合う時に寄り添ってくれるものを、つくれたら嬉しい。今、読んでいただいているこの本ももちろんのこと、商品づくりや発信をする時もこのような視点は大事にしてきましたし、これからも届けていきたいなと思っています。

大学院の卒業式は、姉に借りた着物を合わせて、ちょっと憧れていた袴姿で出席しました。母とのツーショットは、父に撮ってもらいました。（2017年3月）

がんを告知されてからこれまでの間、私は常にいくつかの問題と向き合ってきました。内容も、出した答えも全て異なるのですが、「問題に対してどう向き合ったか」は共通していると思います。それが、私の考える「デザイン思考」です。

問題をどのように捉え、考え、悩み、決め、解決へと向かって行動していくか。そこには、左図のようなプロセスがあるのではないかな、と考えてきました。これは、大学院の卒業研究で、「喪失による大きな変化、悲しみやストレスが『デザイン』で生きる力に変わる」というタイトルと共に発表した内容です。

『N HEAD WEAR』に至った大きなきっかけは、脱毛という現実を受け入れられたことにあると思っています。⓪の、「問題を認識する」ことができたということです。“そもそも”の前提として、「髪がない」という状態を受け入れることは、簡単なようでいて、難しい。なぜなら、人は変化を恐れ、元に戻りたいと切に願うものだと思うからです。

当初、ゆくゆくは改善するといわれていた脱毛は、再発によりこれからもずっと改善されないかもしれない問題へと変わりました。その他にも大小様々な問題と向き合い、それぞれに⓪〜⑥を繰り返し、行ったり来たりしてきました。全てがうまく進むわけはなく、途中で止まることもあれば、何度となく⓪や①に立ち戻るものもあります。ですが、それは決して無駄ではないと思うのです。

悲しみやストレスを、私の考える「デザイン思考」によって生きる力に変えることができるのであれば。それはきっと、QOL（Quality Of Life: 生活の質）向上につながり、今までになかった可能性を持つものなのではないかと、私は思っています。

中島ナオ的 デザイン思考

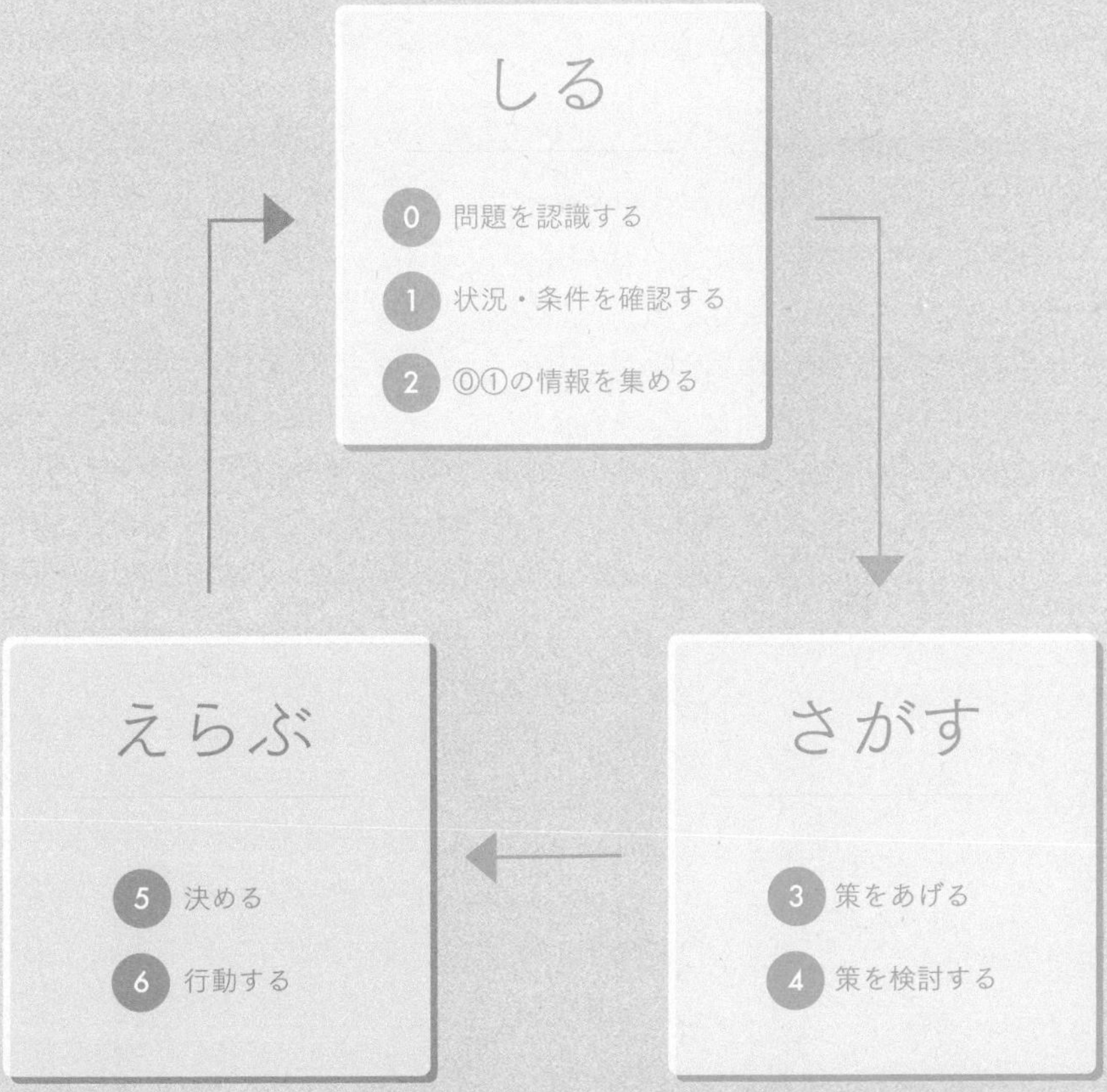

10 「ナオカケル」に込めた想い

私は、『ナオカケル株式会社』という会社で代表をしています。設立したのは、２０１７年の12月18日。病状がステージ4とわかり、再び投薬をスタートした日から、ちょうど1年が経ったタイミングでした。

当時はいろいろな副作用を抱えていて、特に脱毛は、髪の毛と同じようにまつ毛や眉毛などの毛という毛が全部抜けてしまうという状況でした。髪の毛の悩みには、構想段階の『N HEAD WEAR』を身につけ生活していましたが、メイクに対しても難しさや悩みがありました。自分なりの工夫というのはたくさんあって、ＳＮＳでのライブ配信でそのような話をしたり、メイク方法をご紹介したこともあります。当時は、まつ毛や眉毛のない人が満足できるようなメイク道具やメイク術というものがあまりなくて、そんな不自由さを解消するような取り組みを、一緒にやってくれる化粧品会社がないか探していました。この話を方々へしていたところ、とある化粧品会社の社長さんにつないでいただく機会を得ました。メイクに関してのコンセプトや、まだ世に出ていない『N HEAD WEAR』への想いを伝えると、意外にもある一言が返ってきたのです。

「君の頭の中にあるモノを形にするのは、君しかいないよ」

その社長さんは、私の想いを形にするために、起業してはどうかと言ってくださったのです。これまで、社長になりたい！とか起業したい！みたいな思いは一ミリもありませんでした。確かにアイデアはたくさんある。でも、それと同時に病も抱えていて。しかもステージ4である自分の状況を考えた時、ここから何か新しく挑戦することにためらいがありました。社会に対して責任が持てるのか、という不安や怖さもあったと思います。でも、その一言が、私を起業へと向かわせました。「自分でやるしかない！」と奮起した私は、そこからわずか2ヶ月ほどで『ナオカケル株式会社』を設立したのです。

お金があるわけではなかったので、大学院生の時に貯めていた五百円玉貯金箱を開けることにし、そこに入っていた五万五千円を資本金にして会社を立ち上げました。こんな少ない資本金だと信用も得られず、取引してくれる先などないのでは？などと心配され、いろいろな方からアドバイスもいただきました。けれど、ここに来て例えば資本金の為に百万円借りるということに、何の意味があるんだろう？自分にとって特別な意義を感じられませんでした。31歳でがんになって、何もない中で大学院へ通って、そして起業して。自分という丸ごとの存在で生きてきたんです。資金が十分に揃ってないと始められないということはない。そう思うと、余計に「この五万五千円で始めよう！」という気持ちが強くなりました。そして何より、挑戦してみたかったのです。

大学院や『N HEAD WEAR』、『hitowan』など。これまで、人との出会いや接点がなければ起こらない出来事ばかりが起きていました。私ひとりで実現できることはほとんどなくて、常に誰かの存在がありました。なので、社名を考える時にもそんな思いを込めたいなと思っていました。

最終的に行き着いたのが、『ナオカケル』という社名でした。私の名前である「ナオ」と、副詞の「なお」。「なお」は、「それでも」、「いっそう」、「変わらず」という意味を持ちます。「カケル」は、「掛ける（×、関係をつくる、コラボレーション）」、「駆ける（止まらない）」、「描ける（夢を持つ）」、「懸ける（希望を託す）」、「架ける（架け橋、虹をかける）」という意味を込めており、同時に「欠ける（不完全、一部が失せたかたち）」という状態を表す言葉でもあります。

欠けていること前提でのスタートでした。ひとりでは何もできないけれど、誰かと一緒に進めていきたいなという願いを込めて、『ナオカケル株式会社』を立ち上げました。

今では、多くの仲間が一緒にカケてくれ、支えてくれています。『ナオカケル』はもう私ひとりのものじゃないなという感覚を持てていることは、とても幸せなことだなと思います。

11 今をより良いものにするための、「新しい選択肢」

大学時代、デザインの授業で設定される課題やテーマは、どれも仮のものでした。例えば、大学内の分別ゴミ箱の問題点を挙げて新しいゴミ箱をデザインしてみたり、近くのバス停がどうしたらより良くなるかを考えてデザインしてみたり。

それが、がんになって環境がガラリと変わり、日々の生活は課題だらけになりました。不自由に感じることばかりなので、お題はいくらでも出てくる。「デザインする」という観点からがんを取り巻く環境を見てみると、ネタの宝庫だなあと思います。解決したい悩みは山ほどありますが、自分にとってより身近な課題から、ひとつずつ形にしてきました。それが、あたまの新しい選択肢としての『N HEAD WEAR』であり、洋服の新しい選択肢としての『Canae』[*6]であり、今はない治療の選択肢をつくるための仕組み『deleteC』といった活動につながっています。

例えば、医療用や患者用としてつくられている帽子や洋服は、すでに世の中にいろいろな種類のものが出ています。ここからは、あくまで一意見として聞いて欲しいのですが。病院の待合室に置いてあったり、取り寄せたりして見てみたそれらのカタログは、これまで読んでいたファッション雑誌とは違い、ページをめくる度にワクワク、ドキドキしたり、新鮮な気持ちになれるものではありませんでした。これ欲しいな！身につけたいな！と思えるものは、残念ながらひとつもなかったのです。

*6 詳細は 144 ページ参照

見るからに「ご病気の方なのね」と印象付けるようなデザインや色のものばかり。これらの商品をつくった人や売っている人は、自分も身につけたいのかな？　心から素敵なものだと思って売っているのかな？　と疑ってしまった自分がいました。医療分野や介護分野で売られているものには、ある一定の固定観念やイメージが植え付けられているように感じられました。

病気があろうがなかろうが同じ人間で、生活をより良いものにしたいという想いは変わらないはずなのに、当事者になる前と後とではこんなにも見えてくるものが違うのかと思いました。一つひとつ満足するものに出合えていたら、『ナオカケル』の活動もなかったかもしれません。でも、そこには自分が心躍るような選びたいものがなかった。だからこそ「新しい選択肢」を増やしたいと思って活動を始めました。

これまで出会ってきたがん患者さんには、「今」を変えようとしている人は少ない印象でした。「どうせ変わらない」と諦めモードで、がんだから仕方ないとか、こういう業界だから諦めないといけないとか、何かを我慢しているように感じられました。それって本当にそうなのかな？　もし「新しい選択肢」をみんなが選べたら、私以外の患者さんの気持ちや状況も変わるかもしれない。ネガティブな現状をひとつずつ変えていくことが、ＱＯＬ（Quality Of Life：生活の質）の向上につながるのかもしれないと思いました。今は「我慢の時間」と思って過ごすのは、誰だってきついと思うのです。

このような話を、以前小児がん病棟の先生とも話したことがあります。小児がんは、入院して治療することが多いのですが、もちろんその間学校を休まなければいけなかったり、友達と遊ぶことができなかったり、いろいろな制限がかかります。先生自身も子どもたちに、「この時間が終われば元に戻れるよ」「もう少しの辛抱だよ」など、今は「我慢の時間」であると伝えていたそうです。先生は、私の考え方に触れたことで、「できることが制限されるという事実はあるけれども、『我慢の時間』とは考えなくていい。今は今できることをすればいいんだと気付いた」と言ってくれました。私の考える「デザイン思考」が寄与した、嬉しい瞬間でした。

「新しい選択肢」を用意することで、不自由や不具合を解消することができたら、気持ちもだいぶ軽くなると思います。病院にいようと、治療中であろうと、その人にとっては日常でしかない。誰しもがそれぞれの生活を送っていて、私にとっては治療しながらの生活が日常というだけ。その日常を、少しでも良いものにしたい。そんなことを考え、「これはＱＯＬを良くすることにつながるか？」と常に意識しながら、ものづくりや活動を行っています。

2015 年 5 月 11 日。33 歳の誕生日は、姉と長野県安曇野でお祝いしました。
ヴィーガンケーキのサプライズが嬉しかった！

12　1分1秒でも早く、手繰り寄せたい未来

31歳でがんであることがわかった時。ステージ3Cで、早期と呼べる状態ではありませんでした。そのような状況で目に飛び込んできたのは、「早期発見、早期治療」という言葉や、「検診へ行きましょう」というメッセージでした。例えば、がん検診の啓発イベントを目にした時に、少し気持ちが沈んでしまうような、ざわつくような感覚がありました。なぜこんなにも気持ちが沈むのか知りたいと思って、少しずつ考えていくと、それらのほとんどは、「がんじゃない人」へ向けてのメッセージや活動だったのです。「じゃあ、早期に発見できなかった人はどうすればいいんだろう？」と疑問を持つようになりました。

ちょうどその頃、海外の乳がんにまつわるキャンペーンでは、「検診へ行きましょう」という柱とともに、「研究費を集めましょう」という柱が立っている、という話を聞きました。がんの研究費を集める動きというのは日本より盛んで、「検診と研究費の資金集め」は当たり前のようにセットで認識されているそうです。日本には、その柱がないように感じられたことに対する違和感だったのかもしれない。そのことに気付いた私は、「じゃあ、がんを患った人に向けたメッセージや、希望に感じられるような活動ってなんだろう？」と考え始めました。

がんの研究は日々進歩し、「いつかは治すことができる病」ともいわれています。ならば、そ

の「治すことができる未来」を、1分1秒でも早く現実に近づけたい。手繰り寄せたい。そのようにして、少しずつがんの治療研究へと関心が向き、行動に起こしていきました。「がんを治せる病気にする為、研究を応援することも大切だよね」という発信や、そのことにベクトルを向ける活動を、身近につくりたかったのです。

同時に、そのような問題提起を世の中に投げかけるということは、自分だけでは絶対できないことだなとも思っていました。どう考えてもまず、「がん」というテーマ自体が大き過ぎる問題だし、私は医者でもなければ、つてもなければ、お金もない。何も持っていないし、何の力もない。でも、前述のような気付きは持っている。だからこそ、とにかく誰かと一緒にできたらいいなと思って、積極的に言葉にするようにしていきました。例えば病院で先生と話している時に、「どうして、研究費を集めようとかそういう動きはあまり目立たないんですかね？」と尋ねたり、「がん」というキーワードに近い方たちや、私よりも知っていそうな方たちに話を聞くようになったり、自分なりに調べたりするようになりました。

知れば知るほど難しい問題でしたが、「自分には何もできない」と思っていたスタートからは、次第に気持ちが変化していきました。きっと誰もが、がんを治せる病気にしたいという想いを持っている。でも、それを言葉にしたり、発信したり、応援したりする術がないだけなんじゃないかな。そういう想いを持っている人はたくさんいるはずだから、もしかしたら私がその想いをカタチにする仕組みを世の中につくったら、何かが変わるんじゃないかな。やり始めたら、協力はしてくれるんじゃないかな……そんなふうに思いました。何にもならないかもしれないけれど、それに向かって小さくても動き始めたい！と思ったのは、がんであるとわかってから3年ほどが経過した、２０１７年でした。

それからはとにかくいろいろな人にお会いして、こうなったらいいなという、いわば妄想の世界の話を聞いてもらいました。自分ひとりでできることなんて何もないと思っていたので、人に会わないことには何も始まらないと思ったからです。実際に動いてみると、反応は本当に人それぞれでした。

医師や研究者など、日頃からがんと向き合っている方ほど、「できない理由」を口にされるという気付きもありました。きっと先生方は、本当に難しい問題でこれまでにも変えようとしてきたからこそ、「なぜできないか」が頭に浮かぶのかな？と思いました。その他にも、全然伝わってないな、という反応の方もたくさんいらして、辛い思いをしたこともあります。

同時に、素晴らしい出会いやご縁もありました。アメリカにある世界トップクラスのがん専門センターであるMD Anderson Cancer Centerの上野先生との出会いもそのひとつ。アメリカでがんの研究を進めている日本人医師が、私の妄想を聞いて、「いいね、応援するよ」と声をかけてくださったのです。それまでは、本当にこういった活動が日本で必要とされているのか、進めていくべきなのか、確信が持てず迷うこともありました。でも、出会いの一つひとつが積

「CancerX Summit 2020」（2020 年 2 月 4 日）にて、MD Anderson Cancer Center の上野先生と。

み重なって自信となり、「この方が応援してくれるのなら頑張ってみよう」と原動力になっていきました。

そうして、忘れもしない2018年11月2日。「この人に話を聞いていただきたい」と思っていたうちのひとり、小国士朗さんとカフェで話をする中で、突如『deleteC』の構想が生まれました。その後、長井陽子さん（薬学博士・当時 Varinos 株式会社取締役）にも仲間に加わっていただけたことで、医療関係者とのやり取りが一気に深まり、より具体的なプロジェクトとなって動き出したのです。

2019年2月4日、ワールドキャンサーデーでもあるその日、みんなの力で、がんを治せる病気にするプロジェクト『deleteC』を発足。クラウドファンディングを通して多くの人に知ってもらい、応援してもらう機会を設けました。また同年9月には、特定非営利活動法人としての活動も開始しました。世に出た順番でいうと『N HEAD WEAR』のほうが先ですが、『deleteC』につながる個人の想いはがんの告知を受けた直後からあって、ずっと積み上がってきたもの。それがやっと形になったのです。

『deleteC』は、「がんを治せる病気にする日を一日も早く手繰り寄せたい」、「がん治療研究という希望の種を応援したい」という想いを行動に移していきたい！そんなところからスタートしました。仕組みはシンプルで、世の中のあらゆるものから Cancer の頭文字である〝C〟を消そうというものです。企業やブランドのロゴから〝C〟を消した商品、あるいは『deleteC』のロゴやコンセプトカラーを使うといったオリジナルの商品をつくって販売していただきます。それが購入されると、売り上げの一部が『deleteC』に集まり、治療研究への寄付に回されるという仕組みです。みなさんのアクションが、研究を応援していくことにつながるのです。

例えば、サントリーさんの「C.C.レモン」、イケウチオーガニックさんの「COTTON NOUVEAU」、九州テーブルさんの「九州パンケーキ」など。パッケージから〝C〟を消した商品を出していただきました。それだけでなく、SNSを活用した寄付の仕組み・キャンペーンである「#deleteC 大作戦」では、コクヨさんやカルビーさんなど、多くの人が知っているような企業さんやブランドさんにも参加いただきました。それまで絵空事でしかなかったものが形になった！という気持ちがして、本当に本当に嬉しかったです。

がんの治療研究に触れる中で、こうしていけたらいいなと思ってきたのは、「がんとの接点をつくること」でした。がんという病気は恐ろしく、できれば触れたくないし、距離をとっておきたいもの、と感じる方が多いのではないかと思います。ですが、商品やイベントなど、今までになかったような形できっかけをつくることによって、いろいろな関わり方ができるようになるはずだと思いました。

このような想いから、『deleteC』では、「ふだんの暮らしの中で、誰もが参加できる『がん治療研究の応援の仕組み』を広めていきたい」と思って活動しています。がんの治療研究との距離をグッと縮めるためにも、活動が身近に感じられることはとても大切。買い物や投稿が、がんの治療研究につながると考えると、とても気軽だし身近ですよね。

それとは別に、「がんを取り巻く環境に、もっと登場人物を増やしたい」という願いもあります。「がんを治せる病気にすること」を進めるには、限られた登場人物ではなく、みなさんの力を合わせることが必要だからです。今、活動を様々な立場の人と一緒に進められていること、そのこと自体が私にとって希望に感じられています。ひとりでは、何も叶えられませんから。

いろいろな病院の先生や研究者の方々にお話を伺いながら、仕組みづくりを進めてきました。そして、多くの企業や個人の方々と一緒に、一つひとつ形にしてきました。みなさん、組織としてというより、一個人としてちゃんと向き合い、真摯に話を聞いてくださいました。

ある時、医師・研究者の方々が集まるワークショップに『deleteC』として参加し、活動を紹介させていただく機会がありました。そこでは、次のようなことをお伝えしました。どうか、自由に夢を描いて欲しいということ。時間はかかっても、私たちみんなで力を合わせて先生たちを支える仕組みをつくりたいと思っていること。なので先生たちには、自分がやりたい研究を進めて欲しいと願っているということ。

聞いてくださった先生方からは、「こういった動きは私達にとっても希望になる」と感想をいただきました。やっぱり研究って、時間も長くかかるし、お金も必要で、難しくて厳しい世界

「Clinical Research Skill Advancement Workshop」にて。医師研究者、製薬会社の方々に向けて、
『deleteC』の取り組みについてお話しさせていただきました。中央が上野先生。（2019 年 3 月）

だといいます。ただ、そこに応援の声が届いたり、研究を進めることを望んでくれている人がこんなにたくさんいるんだ！と感じることができたら、それはパワーになる、と話してくださいました。医療関係者の方が必要と感じてくださり、応援してくださるというのは心強く、活動の励みにもなっています。

『deleteC』では、関わる全ての登場人物の想いや、文字だけでは感じ取ることのできない人の温度感も、一緒に届けていきたいと思っています。そして、1分1秒でも早く、「がんを治せる病気にする未来」を手繰り寄せたい。生きている間には叶えられないことに見えるかもしれないけれど、確実に変わっていっているものがあって、叶え始められているなと感じます。やっぱり動きだすことで、何かしら、少しずつは絶対変わっていく。そう信じています。

「deleteC 先行プレミアム体験会」（2019年5月11日）にて。忘れられない1日になりました。

「deleteC 2020 -HOPE-」（2020年2月1日）の会場にて、ナオカケルの仲間たちと。みんなで『N HEAD WEAR』をかぶりました。普段はお互いを撮り合うことが多いので、実は貴重な3ショット。小国さんが撮ってくれました。左がほーちゃん、右がみのちゃん。

13 あかるく、かるく、やわらかく

がんを取り巻く情報には、その量も見解も伝え方も発信元も、様々なものがあります。テレビを付ければ「死が近い深刻な病」として話されていて。本屋に行くと、治ったと語る人の本や言葉巧みに特定の治療法に誘導するような本がランキングに入っていて。新聞を開くと、広告を含め病名を目にしない日はなくて。スマホを開けば、何気ない日常の記事にも紛れて、その文字は踊っています。その都度耳につき、目に留まります。避ける時もあるけれど、聞いてみるものも、読んでみるものもあります。すべてに目をつぶることはやはりできなくて、どうしても気になってしまうのです。

情報が得られるという環境は、恵まれているとも思います。ですが、困ったことに、その中には傷つくものが少なくありません。目に留まる見出しにするためには、売れる本にするためには、ちょっと大げさに言ったほうがいいだろう、言い切っちゃったほうがいいだろう、ということが透けて見えてきます。

その言葉を発信する時、当事者であるがん患者も聞いたり、目にすることをどれくらい考えているのでしょうか？ その状況に置かれている人を目の前にしても、その言葉を言えるのでしょうか？

そういった「誰かを傷つけてしまうかもしれない言葉」は、がんに限ったことではなく、日常に溢れているのではないかと思います。いろいろな意見を言う人がいるのはあるべき姿だけれども、人を傷つけるような言葉が、平気で誰もが目にするところに並んでいることには、やっぱり違和感を感じるのです。

ありがたいことに、私の活動に興味を持ってくださり、テレビや雑誌やウェブメディアなど、様々な媒体で取材を受けたり記事にしていただけたりする機会が増えました。そういった多くの方の目に触れる媒体でお話しする際には、特に慎重に言葉を選びます。そして、世に出る前の原稿チェックなども、かなり念入りに目を通しています。一番気になるのは、「何かを否定することにつながったり、誰かを傷つけたりする表現になっていないか?」という点です。断言したり言い切ったりすることも、自分のこと以外に対してはあまりないかもしれません。だって、人はそれぞれに感じることも思うことも違っていて、それで良いのだから。

例えば、『deleteC』はかなりのスピードをもって活動を進めていますが、すごく慎重だと思います。キャッチーな言葉で伝えることで、何かを否定することにつながったり、誰かを傷つけたりしたくない。その中でいかに知ってもらえるか、届けられるかが、課題です。『deleteC』は、〝C〟を消すことで「がんを治せる病気にしたい」という想いを示す表現をしています。それがもし、delete Cancer を直訳した「がんを消す」という言葉だけ独り歩きしてしまったら。たとえ広く知ってもらえるようになっても、本当に伝えたかった想いや『deleteC』が叶えたいことが、全く伝えられていない状況になるかもしれない。難しいのですが、言葉を受け取る相手のことは、常に考えていたいなと思うのです。

『deleteC』のチームで共有して大事にしているのは、「くらいものをあかるく、おもいものをかるく、かたいものをやわらかく」という姿勢です。これまでも何度か触れてきたように、がんにまつわる情報は、「くらく、おもく、かたい」ものばかりでした。描かれ方としては、「白」か「黒」の、どちらかしかない印象に感じられました。でも、私はがんになってから、それだけではない面にもたくさん触れてきているのです。なので、そんながんにまつわるイメージやメディアの描き方を変えていきたい。それが、「あかるく、かるく、やわらかく」という姿勢につながっていると思いますし、『deleteC』に限らず、人と接する時、生活する時、日常において常に大切にしたいと思っていることです。

2019 年 2 月 4 日。
左が長井陽子さん、右が小国士朗さん。3 人でこの日にスタートしました。

「deleteC やってみたい MTG #0」（2019 年 12 月 9 日）にて、『deleteC』の仲間たちと。

14 希望の種

『deleteC』として動き始めてからは、想像もしていなかったような新しい出会いやご縁があり、ありがたいことに自分が想像していた以上の反応や応援をたくさんいただいています。

特に大きかったのは、仲間の存在です。みんな自分ごとで一緒に取り組んでくれています。目指しているものや叶えたい未来というのを共有できているみんなの存在があるからこそ、未来も描けるし、そこに対してワクワクすることができています。ひとりで考えたり進めたりしていた時にはなかったこと。当時全く描けなかったことが、今現実として目の前にあります。本当にすごいことだと思っています。

実際、がんの治療研究ひとつを動かせるような大きなお金を寄付できているかというと、まだまだ小さな金額であり、小さな活動であると思っています。でも、一緒に進めてくれるメンバーがいて、応援して参加してくれている方たちがいて、そこに期待してくれている医師や研究者の方がいて……。ある意味、私の描いていた世界はすでに実現できているんじゃないか、なんて思います。そういう方たち一人ひとりが、私にとっては本当に大きな希望であり、明日が楽しみになる存在なのです。

いきなりですが、みなさんコンタクトって一度にどのぐらい購入しますか？きっと、六ヶ月分や一年分など、ある程度まとめて買うという方も多いんじゃないかなと思います。私はがんを患ってから、買う時に「六ヶ月分も買っちゃっていいのかな」といった考えがよぎることがありました。やっぱり先のことが不確かでもあるから、「私って六ヶ月後、コンタクトをつける生活ができているのかな？」と考えてしまう時もあったりして。でもそれが、『deleteC』の活動を始めてから、以前より躊躇せず買えるようになったのです。他には、半年後や一年後の予定を、楽しみなこととして自分のスケジュール帳に書けるようにもなりました。

一緒に進めてくれる仲間たちがいるから、「どういう形であれ叶えていける！」、「誰がどうなっても進んでいくんだ！」と思えるようになりました。そうやって未来を楽しみに描けるようになったというのは、以前と比べて本当に大きな変化です。マイナスに感じる変化があったとしても、何かを新しく始められることや、「あきらめなくてもいい」と思える瞬間を持てることが、続いていく暮らしの中で、希望の種になると私は思っています。

そして、これからは「継続」が大きなテーマ。これは、『deleteC』に限ったことではなく、『N HEAD WEAR』など、ナオカケルの活動全てに共通して思っています。私たちの商品や活動に関わってくれる人、応援してくれる人、希望に感じて楽しみに待ってくれている人がたくさんいる。「それぞれの活動を、もっと大きくして、もっと広めていきたい！」という思いはもちろんあるのですが、それ以上に、「止めてはいけない、続けていかなくてはいけない！」という想いを強く持っています。

がんが治せる病気になる、その日まで。

手を動かすものづくりの原点

ここからは、「がんをデザインする」以前のものがたりを、少しだけ。今も昔も変わらない「中島ナオ」を、知っていただけたら嬉しいです。

神奈川県横浜市に生まれ、3歳上の姉と、3歳下の弟に挟まれて育ちました。小さい頃から絵を描くのが好きで、よく女の子の絵を描いては服や髪型を考えて楽しんでいました。お絵描きや工作をする際の集中力がすごくて、途中で飽きてやめてしまう子も多いなか、ひとりで黙々と作業をし、時間がかかっても最後まで完成させていたそうです。子どもを見守り、自発性を重んじるモンテッソーリの幼稚園に通っていたことも大きかったかもしれません。裁縫も好きで、母と一緒にいろいろなものをつくっていました。

小学生の時、家庭科の授業でエプロンをつくる時間があったんです。簡単なキットを配られたのですが、用意されたものをそのままつくるのが嫌で、一人だけ違う形のエプロンにしました。たまたま母と手芸店に行った時に、紐を使わずかぶって身につけるタイプのエプロンを見かけて、「紐を結ばないで着られるエプロンがあるんだ！」と感動したんです。キットのものではなくこれがつくりたいと思って、翌日先生に相談しました。「これ考えた人すごいなあ」と思えるもの、機能的なものや工夫されたものに強く興味があって、自分が心からいいなと思えるものをつくりたい、と考えているような子どもでした。

中学校は、学校案内のパンフレットがとても素敵で惹かれた中高一貫の女子校、いわゆる進学校へと進学しました。今思うと、学校生活では、できないことや苦手なことだらけでした。体育が苦手で、特に球技では常に足手まといだったり、必死に勉強したはずなのに英語は中学1年生の初っ端から赤点を取って追試を受けたり。でも、学校には一人ひとりの興味関心事を伸ばし尊重し合う雰囲気があり、多感な時期に異なった興味や得意を持つ幅広いタイプの同級生と過ごしたことで、

3きょうだい。右が中島ナオ

苦手なものばかりにとらわれなくなりました。

部活は、たたずまいのかっこよさに憧れて、剣道部に入りました。胴着を着たり、素振りの練習をしたりすることはとても好きだったのですが、その先には試合といった戦いがあり、「なんか違うな」と結局辞めてしまいました。今でもそうなのですが、とにかく勝ち負けに興味がなく、人と競うことが苦手だったんです。でも、美術や家庭科など自分で手を動かして生み出す分野になると、とにかく良いものをつくるこだわりを強く持っていました。

高校でも、好きだったのはやはり美術の授業です。「各自選んできた野菜を彫る」という授業でつくったにんにくの木彫りは、思い出深い作品のひとつ。質感やひげの部分までかなりこだわった作品で、今でも自宅に飾っています。にんにくって、モチーフとしてとても興味深いなあと思うんです。薄い皮で覆われた下は房になっていてその形を想像するのが面白かったり、色もあるようでなくて、グレーのグラデーションになっていたり。日持ちもするので、対象としても向いている。そんな当時の記憶がずっと残っていて、後に大学院の教育実習でデッサンの指導案をつくることになった時にも、にんにくをお題にしました。

美術や家庭科など好きな教科では、「想像を越えるような素敵なものをつくりたい」という気持ちが強くありました。誰かが面白いアイデアを出したり良い作品をつくったりすると、「すごいな」と思うと同時に、「やられた」と感じて悔しかった記憶があります。ものづくりに関しては、「仕方ない」では済ませたくないというこだわりが当時からありました。私ならではの、より良いものや面白いものをつくりたいと常に思ってきました。

中でも、テーマや目的があってつくるようなものに燃えました。あれこれ考え、機能や使う人のことを考えて工夫する工程が好きで、自由に表現したいアーティストタイプではありませんでした。なので、進路を考える際に「デザイン」という分野を知り、「自分にはこれがいいかも！」と感じたんです。「デザイン」とは、それに触れた誰かの生活を豊かにする物事であるということ。また常に人を中心に考え、目的を実現するための手段として色や形、技術や機能を施すのだということ。そのことを知ってから、「将来はデザインの仕事がしたい」と思うようになり、「どんな大学へ行ったらいいのだろう」と考えていました。親からは国公立に行くように言われていたのですが、デザインを学べる大学として一番に東京藝術大学が出てきました。狭き門すぎて、一体何浪したら入れるのだろう……と思ったのを覚えています。

高校3年生の時は、ぼやぼやしていたら気付けば受験という感じでほとんど準備はできておらず、とりあえず試験会場へ向かい、「受験ってこういうものなのか」と思いながら受けました。1浪して翌年、学科を中心に勉強してきたので「センター試験ってこういうものなんだな」と思いながら受け、2浪してやっと実技も伴い、東京学芸大学の美術科に合格することができました。何事も時間がかかるんですよね。でも時間がかかっても焦ることはあまりなくて、昔からマイペースだったなあと思います。

日常に寄り添ったもの

2003年4月に入学し、大学では環境プロダクトデザイン研究室というところで生活空間や生活用品のデザインを学びました。うちの大学は教育大学だったので、デザインを学べる学部というのも少なくて。グラフィックデザインに象徴される「平面」か、プロダクトデザインに象徴される「立体」か、というざっくりとしたふたつにわかれていたので、私は迷わず「立体」を選びました。やっぱり、日常というものに興味があったんだと思います。日常で感じてきた気付きや違和感、普段の暮らしの中で工夫をしてきた幼少期というものが、意識の原点にありそうです。

研究室では、お題が出て、考えて、表現するということをひたすらやっていました。

あるとき、「分別ゴミ箱をデザインする」という課題が出ました。街の中や駅のホームで、ゴミ箱を見つけると近づいてぐるっと回ったり、人がゴミをどのように捨てていくのかという行動を観察したりしました。そうやって観察していくうちに、ゴミを入れるフタ部分は入れるときに手が汚れないように、置かれた場所の美観を損ねないように、分別しやすいように……と、機能が明確になりました。透明にすると分別はしやすいけれど、中身が丸見えになるのはよくないかもしれない。最終的に、ゴミ箱の前面部分を、近付くと中身が見える角度のあるボーダー模様にしました。今でこそ透明なゴミ箱はよく見かけますが、当時は画期的だったなあと今でも思っています。

他にも、椅子や照明、文房具、醤油差しなど、身の回りのものをたくさんデザインしました。誰かの使っている姿が想像できて、ちょっと嬉しくなったり楽になったり便利になったりするものや、日常に寄り添ったものに、関心があったんです。

課題はいつも、締め切りのギリギリまで粘って、ああでもないこうでもないと作業を続けていました。諦めが悪いというか、自分が納得するまでは絶対に提出したくなかったんです。「自分が本当に使いたくて、感動するものをつくりたい」というこだわりは、昔から一貫してありました。なぜそれをつくるのか？なぜその形になるのか？見た目の美しさだけでなく、機能も考えられているという点に自分の興味やこだわりを見出して、大学では本当にたくさんのものを考えました。

分別ゴミ箱

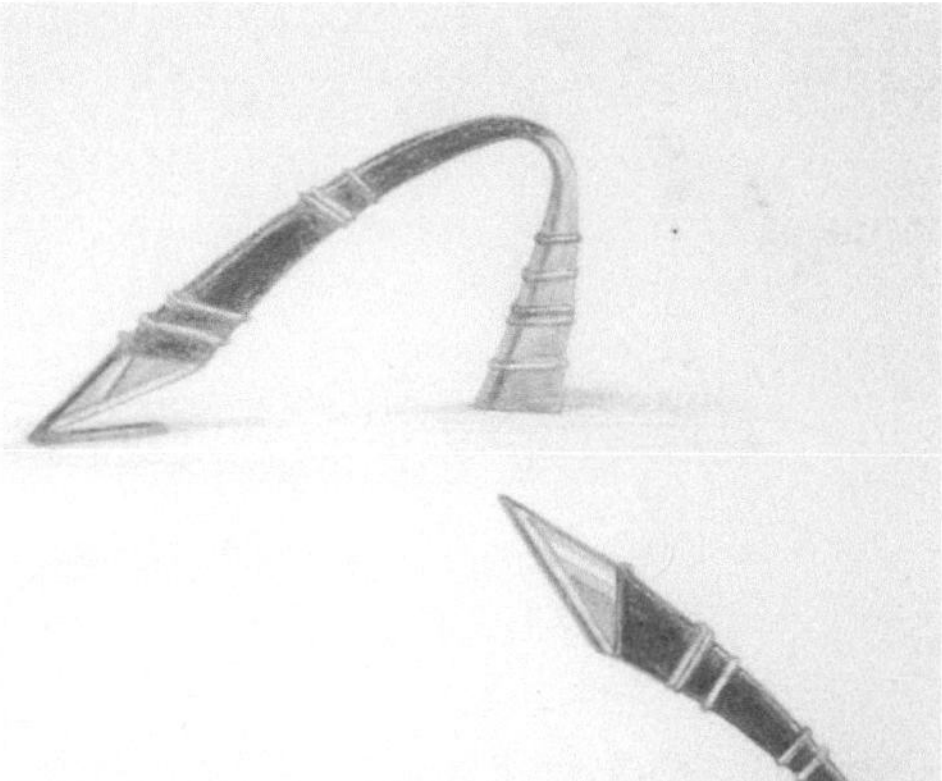

失敗しないカッター

醤油差し

割り切れないもの

ある日、研究室の先生に、「中島さんは、割り切れないものが好きな人だね」と言われたことがあります。それは、「好奇心のある人だね」という意味でした。「好奇心」という言葉には、奇数の〝奇〟という字が入っています。奇数とは、2で割り切れない整数のこと。自分のことを振り返って、確かにな、と思いました。

当時から、「白」か「黒」かという割り切れるはっきりしたものよりも、「グレー」で曖昧さのあるものに対して興味を持っていました。割り切ってしまわずに、どうすれば解消できるか？や工夫できるか？を考えることが好きで、違和感だったり引っかかったりしたことを、そのままにしておけないタイプでした。

常に、「なんでだろう？」「どうしてそうなんだろう？」と考えていた気がします。そして、工夫したり遊び心を持ったりして対象について考えることで、もっと楽しく、より良いものへと変えていけるはず。そういった気持ちで一つひとつにとことん向き合うことが、「好奇心」につながっているのかなと思います。

大学の入学式にて

みんなでつくった展覧会

大学2年生の時、〝赤〟がテーマの展示会「アカテン」を、クラスメイトと開くことにしました。約20名の学生で、企画、運営、準備、作品づくり、宣伝等を分担して行ったのですが、その中で、私は運営と展示デザインを担当しました。空間デザインを学んでいたのはクラスの中で私だけだったので、名乗り出たのを覚えています。

3週間という期間、限られた空間の中で、たくさんのお客様に自分たちの作品をじっくりと一つひとつ見てもらいたいという目標を掲げ、それにはどのような展示方法があるか？とみんなで考えました。そうして決めたのは、クラスのメンバーを3組にわけ、それぞれのグループを1週間ごとに展示するという方法でした。毎週、作品と共に展示デザインを一新するという、チャレンジングな試みです。

その中で、ひとつの展覧会に3週間、人を集め続けられるように、そして毎週新鮮な気持ちで作品を見てもらえるようにと考え、1週間ごとに展示のモチーフや動線を変えることにしました。誰にお願いされたわけでもなく、自分で自分に課した決めごとでした。

結果、1週目はストライプ、2週目は丸、3週目はダイヤという展示デザインテーマと動線の変化とを、作品の入れ替えと同時に行うという大作業になりました。いかにコストを抑えるか？という課題もあったので、使用した材料は、段ボールや布テープなど安価な材料ばかり。手づくりでしたが、安っぽく見えないように手間を惜しまず作業しました。

デザインを考えることはできますが、施すことはひとりではできないので、クラスメイト全員を巻き込んで、時には徹夜したり無茶したりしながら一緒に作業してもらい、なんとかやり切ることができました。そんな様子を見て、友人から「ナオってなんか手伝ってもらっていることが多いよね」と言われたこともあります。

そんな「アカテン」は、本当にたくさんのお客様に来場いただき、大成功を収めることができました。

側から見たら、何でそんな面倒臭いことするの？　そこまで力をかけるの？　って、思われたこともあるかもしれません。でも、「これが良い！」と心から思えることがあれば、少し無茶してでもやりたいんです。

自分がこれだ！　と思ったことを実現させるために、周りも巻き込む。今につながるそんなスタンスは、当時からあったのかも、と思えるエピソードのひとつです。

「アカテン」の会場の様子

8ヶ月間の北欧留学

2005年の8月、大学3年生の夏から約8ヶ月間、スウェーデンのヨーテボリという場所へ留学しました。私は大学にある掲示板を見るのが好きで、イベントや募集といった掲示をよく見ていました。ある日ふと見ると、〝デンマーク〟や〝スウェーデン〟の文字が目に飛び込んできたんです。当時は、今ほど北欧家具が有名でも人気でもありませんでした。その時は、「そんな道もあるんだなあ」ぐらいに思いつつ研究室の先生に掲示板の話をすると、たまたまその先生も、昔デンマーク留学へ行ったことがあるのだと教えてくれました。思った以上に盛り上がり、「応援するよ！」と。気付いたらスウェーデン留学が決まっていました。

北欧の、生活に溶け込むような、目立ちすぎずに楽しみをくれるようなデザインは当時から好きでした。

そのようなデザインには、理由がありました。北欧は、夜が長くて、家の中で過ごす時間が長いせいもあり、工夫して明るく、楽しく、暮らす人が居心地良く過ごせるようにと、室内の空間や照明、家具などのインテリアが豊かになっていったそうです。

留学中にホームステイしていた日本人のご家庭で実際に暮らす中で、なるほどと理解を深めていきました。見た目が美しいだけでなく、機能も考えられていることに、一層惹かれていきました。

ヨーテボリは、全てがぎゅっとなっているようなコンパクトな街でした。どこへ行っても日本より人が少なく、ゆったりとした時間が流れています。ここは刺激が足りない、という人もいましたが、私にとってはこの街の大きさや雰囲気、自然が、住みやすく馴染みやすいものでした。新しい生活をいかに楽しむかは、その街を好きになることから始まるとも思うのです。

学校以外にもいろいろと興味のあることを見つけ、教会の織物教室に通ったり、編み物をしたり、プロダクトデザイナーさんのお手伝いをしたり、カルチャーセンターの様な所で語学を習ったり、料理を習ったりしていました。とにかく、手を動かしてものをつくることに夢中になっていました。小さい頃からずっと同じようなことを好き好んでやっているんだなと、振り返ると思います。それは、幼稚園の頃から変わらないのかもしれません。「セコンドハンド」という教会でやっている週末のバザーも大好きで、毎週のように足を運びました。切手や食器などちょっとした金額のものをいろいろと買って帰りました。食器はお気に入りで、今でも自宅で使っています。

晴れた日はよく散歩して、気の向くままに歩いては新たな場所、風景、お店と出会い、その度に少しずつこの街を好きになっていきました。ふと思い出すのはカフェでの美味しいコーヒー、日向ぼっこ、日本では決して見られない不思議な空の色、人の表情……。出会った全てのものとの関わりが、私の中にあるのを感じています。

ヨーテボリ大学の学生寮にて

計画性のない就活

留学から戻ってきたのが、２００６年4月。同学年のみんなは、既に本格的に就職活動を始めている時期でした。またスタートが遅れてしまった。ちゃんと就活するならもう1年遅らせるという方法もありましたが、大学受験の際に2浪しているということもあって、まずは次のステージに進もうという気持ちが強くありました。教員免許を取ったり大学院へ進学したりといくつか選択肢もありましたが、当時は教育にはあまり興味がなくて、社会に出てデザインを仕事にしてみたい！まずは自分がどんなことができるのかを知りたい！と思っていました。でも、その先のキャリアプランや人生設計みたいなものは全く描いていなくて、ぽやぽやしていたなあって思います。

美大だったら、周りに「デザイナーとして働きたい」という子も多くいたのでしょうが、教育大学の美術科専攻だったので、周りは教員志望ばかり。デザイナーになりたいという生徒はおらず、相談もできず、自己流で進めていました。ほとんどの会社が選考を締め切っていましたが、一社だけ、オフィス家具メーカーで営業職の募集がありました。説明会が終わった後に、その会社の人を呼び止めて、「実はデザインがやりたいんです」と声をかけました。そうしたら、「ちょっと待っていてください」とデザイン部署の方を連れてきてくださったんです。募集するほど必要とはしていなかったけれど、ひとりぐらいとってもいいかと思ったのでしょうか。トントン拍子でその会社に勤めることが決まりました。

昔から本当に、計画性がない。思ったらまずやってみて、それから考えるところは変わっていないなと思います。行き当たりばったりで就職を決めた会社でしたが、世の中で、デザイナーとして求められる仕事がどのようなものなのか、現実的にどういう働き方になるのかを、まずはやってみようと思ったのでした。

大学の卒業式にて

社会で感じた不平等

2007年4月。入社した会社はオフィスの空間デザインができる会社で、レイアウトデザイン部署に、初の女性総合職として配属されました。そこでの仕事は、家具のレイアウトや家具を使った空間をデザインすることでした。まず営業さんが話を持ってくる。何人収容する必要があり、こういうブロックにわけたくて、受付は必要で……など、事業内容だけでなく細かくクライアントさんの希望をヒアリングしてきてもらい、それをデザイナーである私たちが図面に落とし込み、家具を選んで提案する。そんなお仕事でした。

受付のカウンターを造作したり、家具を設計したりする際には現場へ行ってサイズを測って細かな指示を出したり。規模の小さな会社だったからこそ新入社員でも任せてもらえることが多く、先輩にくっついていろいろな現場へ行きました。

はじめての仕事では学ぶことばかりでしたが、1年2年と経っていくと、男性社会のなかで不平等を感じる場面が多々ありました。残業をしてプレゼンを仕上げている時にも、「女性だから」という理由で、他の男性デザイナーには絶対に回ってこない、お茶や掃除の当番が回ってきました。女性社員の中で総合職は私だけで、他はみんな定時で上がれる事務職。残業中に当番を忘れていたことを思い出して、深夜に30分ぐらいかけてお茶の機械の締め作業をやったこともあります。周りの男性社員に相談しても、他の女性社員と違いをつくってもいけないから我慢してやってよという回答でした。総務の人や上司に相談しても、「そうだよね、わかるよ」と口で言うだけで、その時は結局何も改善されませんでした。約15年たった今、女性だけに、お茶や掃除の当番が回ってくるという習慣は改善されているといいなあ、と思っています。

総合職の同期とは仲が良く、部署は違えどみんなで集まって誕生会を開いたり、プレゼント交換をしたり、とても楽しい時間を一緒に過ごしました。新卒で入ったことで、「同期」という仲間がいることがとても心強く感じていたことを覚えています。最終的には、「ここでやっていくのは難しいな」と感じて、退職を決意しました。社会に出て今までとは全く違う世界や根深く残る特有の価値観に揉まれ、いろいろな人に触れて学んだ3年間でした。

入社式にて

働き方の模索期間

次の仕事は決まっていない状態で会社を辞めました。退職後の転職活動で、デザイン事務所を調べてみたり、大学のつながりを辿ってみたりもしましたが、その頃興味を持ち始めていたのは、「どこかに属するのではない働き方」でした。それでもいきなりフリーランスで仕事をしよう！と思っていたわけではなく、一度自由な時間、可能性を探る期間を持ちたいと思いました。会社員生活で疲れていたというのもありました。

　失業手当を受けながら、大学時代の友人たちと組んでいろいろな作品をつくってみたり、当時フラワーアレンジメントをやっていた姉と一緒にガーデニング用品をデザインして東京ビッグサイトで展示会に参加してみたり、ちょっとずついろいろな世界を覗いていきました。一緒に組んだ友人たちは考えることが好きな人の集まりで、みんなで意見を出し合って、みんなで決めて進めていきました。今までやってきた分野だということもあって、展示の際には空間デザインを担当することが多く、ここにきて初めて、前職が活きているなという感覚がありました。

　前職で学んだのは、「想像していたものが、実現するとなると、こうなる」ということ。絵では描けるけど、実現するには構造的に難しい。でも工夫すれば近いものができる。ということだったり、現場を知っているからこその知恵だったり、素材の選び方だったり。もちろん、予算上の理想と現実も心得ていました。オフィスの空間デザインを通して、想像したものが実物になるまでのプロセスを知れたこと、実際に現場を見て学べたことは、とても大きかったと振り返って思います。

　作品をつくるうえで、調べたり何かを参考にしたりせずに、自分たちで考えてとりあえずやってみる。一緒に組んで作品をつくる人は毎回違ったので、やってみないとどのような表現になるのか、展示になるのか、どんなつながりを生むかわからない。そうしてやってみて初めて、「ああ、こういうことか」、「なるほど、こうなったのか」と知る。そこに対するワクワク感みたいなものが、当時の原動力だったのかもしれません。これは今にも通ずるスタイルで、当時から変わっていないと思います。「うまく仕事につながればいいな」とか「フリーランスのデザイナーってどうやって仕事受けているんだろう？」とかも考えながら、そのような活動を半年ぐらい続けていました。

東京ビッグサイトでの展示会

「デザイン」の本質

２０１０年の夏。自分の可能性を探ろうとあれこれ活動してきた無職の期間も半年ほど経ち、そろそろ収入になることもしないと生活できないな、と考えるようになりました。そんな時、大学の恩師から「こんな求人が出ているよ」と連絡がありました。会社を辞めたことや展示をしていることなど、先生とはちょくちょく連絡をとっていたので、気に留めて連絡をくれたのだと思います。それが、後に勤めることになる、恩師が副理事長を務めるＮＰＯ法人、東京学芸大こども未来研究所（以下、ＮＰＯ）の求人でした。

求人を見ると、ちょうど9月始まりで翌年3月末までという、半年程度の契約であるということが書いてありました。デザインの仕事ではありませんでしたが、半年という期間限定で頑張ってみる感じは新しくていいかもしれない。今の自分にちょうどいいかも、ぐらいに思って働くことに決めました。

ところが、現実は半年で終えられるということはなく、翌年の4月以降もＮＰＯでの仕事は続いていきました。「あれ？半年じゃ全然終わらない！」という感じで、思いがけず長く働くことになったのでした。後から知ったのですが、この仕事は年度毎に契約を更新しなければならなかったので、求人にもそう記載していたとのこと。最初から半年で終わる仕事ではなかったようです。半年で辞める選択肢もあったと思いますが、そうならなかったのは「一度始めたら、やり切るまで続けたい」という性格と、「この仕事、意外と学びも多くて面白いな」と感じ始めていたからでした。

東京学芸大学は国立の教育大学なので、行政や企業、学校機関から、「教育」にまつわる様々なお話が来ます。そういった時に、大学側で話を受けるのはほとんどが教授たち。そこで、教授たちと外の世界をつないだり、大学と企業をつないだりと、間に入って調整したり実際に動いたりする

「あだち NPO フェスティバル」にて

役割を担っていたのが、大学内にできたこのNPOでした。

大学には、いわゆる教科として学校にあるものは全て学科が置かれているため、環境や社会学、演劇から書道、体育など、本当に幅広い分野の教授がいます。私が勤めるNPOの理事や上司も、みんな大学の教授でした。打ち合わせも全て、教授たちと一緒。各分野のプロフェッショナルたちが集う職場で交わされる話はどれも面白く、全てが学びでした。その時の私には、「教育」で出会う人たちが魅力的に映っていました。

そのようにして、20代前半で「デザイン」を学び、20代半ばでそれを仕事にし、20代後半ではどっぷり「教育」に身を置くことになったのでした。

新卒で就いた仕事では、見た目はかっこよくても使い手のことはあまり考えられていないといった、本質的でないと感じる「デザイン」にも多く触れてきました。自分が学生時代に期待していた「デザイン」というものに対し、実際に触れた現実は、少しかけ離れていました。

デザインの目的を聞いても、売り上げを伸ばすためや競合との差別化のためという回答。当時の私には、デザインしたいものに対するこだわりやストーリーはあまりなく、そこで出てくる言葉に深みがないように思い、それほど魅力を感じられませんでした。よく考えれば、売り上げを伸ばすことも、競合との差別化も、企業としては当然のこと。「デザイン」という言葉は、便利で様々な場面に使われすぎていることもあって、自分にとって期待外れに思えてしまうシーンが積み重なっていたのかなと思います。そんなこともあり、たまたま「デザイン」ではなく「教育」を仕事にするようになった私には、教授たちと本質について語り合う日々がとても魅力的に感じられたのでした。

ＮＰＯでは、企業から玩具の共同開発の依頼を受けたり、地方行政から地域の子どもに関わるボランティアの大人向けの講座を開発する依頼を受けたり、文科省からいじめの調査依頼を受けたり、学校と一緒にダンス教育用の教材をつくったり、親子向けのイベントを開催したりと、「教育」をテーマに本当にいろいろなことをやりました。忙しくも充実した日々を送る中で、教育分野をより深めていくために、大学院進学も考えていました。

もちろん「デザイン」を仕事にすることを諦めたという感覚はなく、私としては「デザイン」的なことをずっとやってきていました。考え方やプロセスにおいては「デザイン」的な思考で進めていましたし、実際に玩具の開発や教材のパンフレットづくりなどクリエイティブなアウトプットを担当することもありました。どう進めていくか、どう行動させて解決に導くか、どうアイデアにつなげていくかといった本質的な話を、専門性のある教授や企業の方と進めることはものすごく楽しく、関わるみんなが本気で取り組んでいました。誰一人として、これでいいじゃんとか、これくらいでいいでしょ、という生ぬるい判断や、ものづくりをする人はいませんでした。プロフェッショナルたちがプライドをかけて集まって、プロジェクトを進めていたので、誰でもできるようなことをしていては駄目だということを、そこで改めて学びました。

どのプロジェクトも、チームの中心となって進めることが多く、本当に忙しい日々を送っていました。妥協せずとことん取り組みたいので、終わりもなく、生活と仕事の切れ目もなく、ずっと働いて、考えていました。NPOで働き始めて4年が経つころ、この忙しさでは大学院進学の準備をするのも難しいなと思い、せめて教職だけは取ろうと思いました。大学生時代に教職に関する単位はほとんど取っていたので、唯一取れていなかった実習に関する単位だけを取りに小さな美術大学に通い始め、教育実習の準備も進めていました。

NPO時代田舎暮らし体験に参加、奥出雲の牧場にて

そして、ＮＰＯで働き始めて5年が経とうとしていた２０１４年の春。乳がんの告知を受け、私の人生はいろいろな意味で大きく変化していくことになります。

でもこうして振り返ってみると、今も昔も、ベースにある「中島ナオ」は変わっていなくて、同じだなあと思うのです。

第1章の、長い長い「ものがたり」は、ここでおしまい。お読みいただき、本当にありがとうございます。

何か少しでも、あなたの価値観をゆらゆらとさせるものになったり、何かの気付きやきっかけになったりすることができたならば、これほど幸いなことはありません。

第2章 — あたまのなか

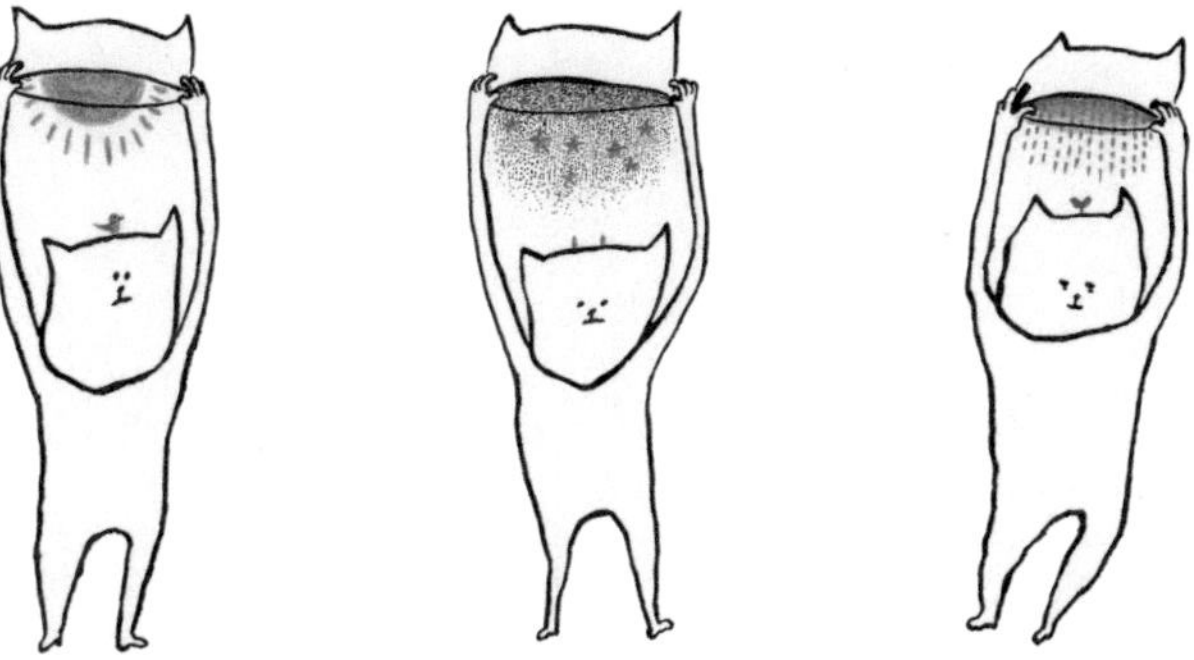

触れたもの、感じたもの、受け取ったものを、
広く捉えたり、深く見つめたり、ぐるっとまわってみたり。
考えて考えて考えて……。

そうして現れた中島ナオの言葉たちを、
親交の深いアーティスト、
工藤あゆみさんの作品とともに綴ります。

ワクワクをちりばめたい

なにかに迷った時は。
まず、自分の関心や考えを元に行動してみる。

それってとっても大切で。
むしろ、それしか大切じゃないのかもしれない。

そうやって行動することで見つけた
ワクワクすることを、
毎日にちりばめられるって素敵なこと。

これからもっと、夢中になれるモノやコトを
見つけていきたい。

初心に返ることって、
経験を積んでしまうと難しく
感じるかもしれないけれど、
実は簡単にできることだから。
(想像力を使ってね)

私たちはきっと、
もっともっと楽しいにつながる
ワクワクすることを見つけられると思う。

「つばさが生えるのを待てなかった」（２０１１年）
（ボローニャ国際絵本原画展２０１２入賞作品）
出典：『五感』

そのままの自分でいい

当たり前だけど、
みんなそれぞれにすごいところがたくさんある。

でも、逆の見方をすると、
みんなそんなにすごくないんじゃないかな。
もちろん、私も。
できないことだらけだし、失敗もする。

だからこそ、みんなと一緒にやっているわけで。
私たちは仲間なのだから、
それぞれが得意なことを活かし合っていけばいい。

小さなことや、まだまだだと思えることでも、
今の自分の精一杯でできることを実行していく人は、
強いと思う。

一つひとつ進めていこう。
想いをかたちにすることに、こだわりたい！

「ハッピーエンド。/安心して君の物語を書きはじめたらいい。」（２０１６年）
出典：『今日は自習にします』

ちょっと視点を変えてみる

相手を知るためには、
周りのものを一度取り払って、
フラットな視点で向き合ってみる。

立場があるのか、ないのか。
若いのか、年を重ねているか。
プロか、素人か。
そういうものは、
その人を構成している一要素であって、
その人の全てでは決してないから。

例えプロと言われるような人でも、
違う分野に飛び込めば初心者だし、
初心者はその分野に染まっていないからこそ、
持てる気付きやアイデアがある。

綺麗事ではなく、
みんなが本当の意味で尊敬し合い、
協力することができれば、
進められることはもっとたくさんあるはず。

大きな社会問題も、
人間関係のように日常的な問題もね。

「夢は変わらないけど持ち方は変わった。」（２０１７年）

がんを理由にしない理由

気持ちが重くなってつらい時。
もー！　やだー！！　って叫びたい気分の時。
沈んだ気持ちと重い身体。鏡に映る、浮かない顔。

ふと、「いや、これ、がんとか関係ないな」
「みんな叫びたくなる時ってあるもんね」
と思うことがある。

がんだからってことも、もちろんあると思うけれど。
（それを理由に甘えてしまうことも、もちろんあるけれど）
がんじゃなくても、つらいこと、大変なことって、
みんなそれぞれにたーくさんあって。

何かを理由にするのは簡単だけれど、
何かひとつだけを理由にするのは難しくもあるなと思う。
だって大抵は、それだけが原因ではないことの方が多いから。

状況って、いろいろなことが絡まり合って、
重なり合ってのことなので、
「がん」ってその中の、ひとつにしか過ぎず。

やっぱり私を構成する要素の、ひとつにしか過ぎない。
ということは、悪い状況に陥った要因は、他にもあるわけで。

その状況を引き起こした理由は、
がんであること以外の部分で沢山あるのだ。

ただ単に、ダメなところが多いだけなのか！？
まだまだ成長の余地があるってことにして、
気を引き締めて頑張ろうと思う！

「深呼吸」（２０１１年）
（ボローニャ国際絵本原画展２０１２入賞作品）
出典：『五感』

ステキ！と言われたいな

ステキ！って言ってもらえると力が湧いてくる。
その背景には、「素敵」とはかけ離れている状況があるから。

その状況をどうにかできないかと、
自分を嫌いにならずに済むようにと、
長い時間向き合って、工夫して工夫して。
そして今があるから、なおさら嬉しいのだと思う。

髪の毛も眉毛もまつ毛も、他にもいろいろ……。
様々なものを失った自分を、今こうして楽しめているのは、
それらを大問題として向き合っていた当時の私からしたら、
奇跡！と言えるくらいの状況。

世の中で言われる「素敵」は、ひとつではないと思いたかった。
それをどうにか形にしたかった。

だから、
自分の瞳を活かすラインを目に引いてみた。
気持ちが伝わるような眉毛を描いてみた。
髪があってもなくてもおしゃれを楽しめる
ヘッドウェアをつくってみた。

それらが、だんだん自分に馴染んでくる感覚が生まれた。

だから今、ステキ！と言ってもらえることは、
その積み重ねを認めてもらえたようで、自分に自信が持てる。
そして、それがさらに進むエネルギーになるんだ。

「僕の足跡を見てー」（２０１５年）

会いたいから今日も起きる

一日を過ごし切ることができて、
また新しい一日を迎えることができる。

それは当たり前に感じることでもあり。
普段この言葉はあまり使わないけれど、
奇跡のように感じられることでもある。

きっと、両方合っている。

出逢ってくれた人
一緒にいてくれた人
話をしてくれた人
応援してくれた人

一人ひとりの存在があったから、
考え続けられた。
ワクワクできた。
叶えられた。
そして、やりたいと思えることが絶えなかった。
それが、私を動かしてくれている力なんだと思う。

会いたいから、起きる。
起きたら、話したい。
人と話すと考えて、考えたその先に行動がある。

毎日が重なり合った先に、
きっと叶えられることがたくさんあるんだ。

「ネタラオキタクナイ。オキタラネタクナイ。」（２０１８年）
中島ナオ蔵

ひとりじゃないから

例えば、仕事をする時は、
つながっている、その先を想像する。
どうして？ 誰のために？
何のためにしているの？ って。

その答えが見えたら、
「じゃあそれを叶えるためには
どうしたら良いのか」を、
考えて行動することがとても大切。

もし不安になったり、
わからなくなったりしたら。
立ち止まらず、勝手に悲しまず、
誰かに相談してみる。

大丈夫。
あたまのなかよりも世界は広く、
人はあたたかいことを、
私たちは知っているはずだよ。

「いろいろ難しい時、僕は腕を組む。僕らは腕を組む。」（２０１４年）
シリーズ「２０１４年の日曜画家」より

「【僕の夢の種】（たくさん）ねがったり（一度に）かなったり…こまったり」（２０１５年）

第3章 — かたちにする

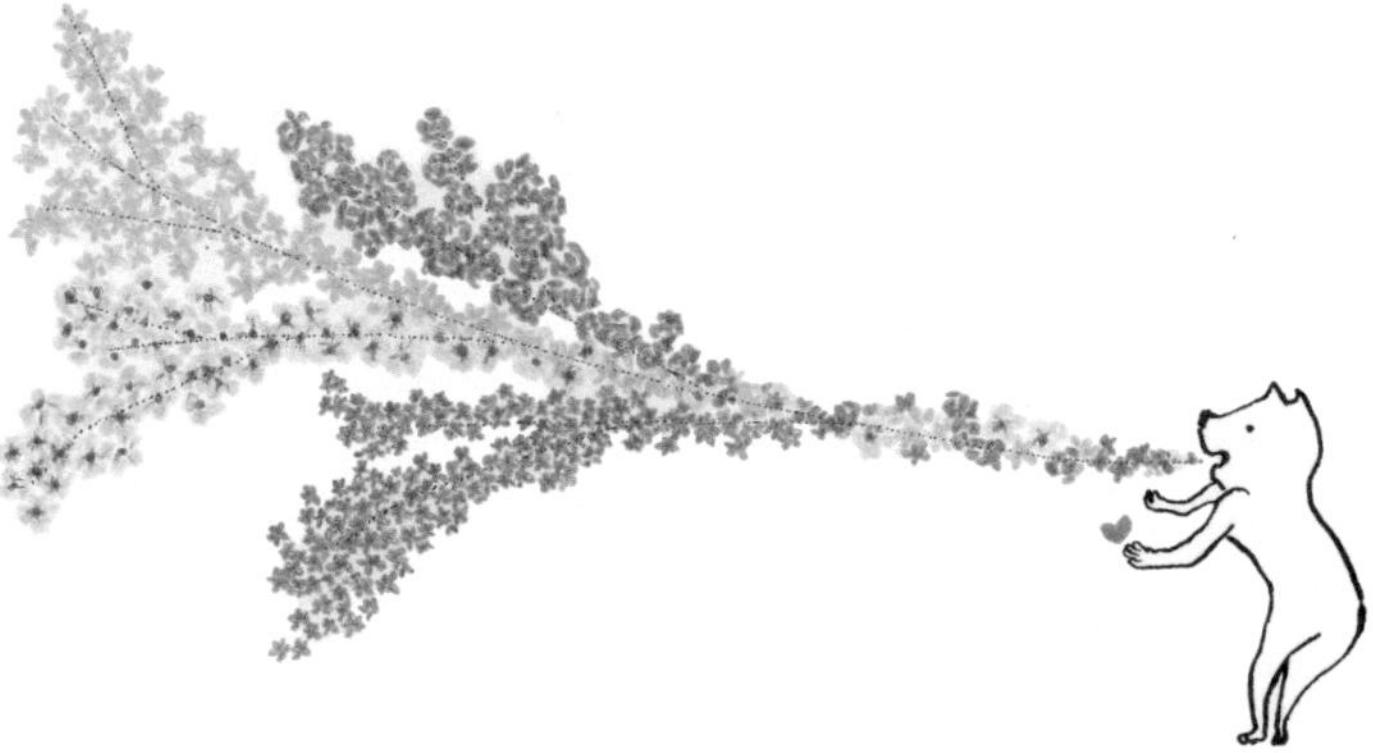

過去の自分や周りと比べるのではなく、
今の自分を、好きでいられるように。
今の自分が、心地よくいられるように。

そんな、中島ナオの自身の経験を通して
かたちになったものたち。
込められた想いや、関わる人々を、ご紹介します。

あなたの歩む ものがたりに 寄り添う

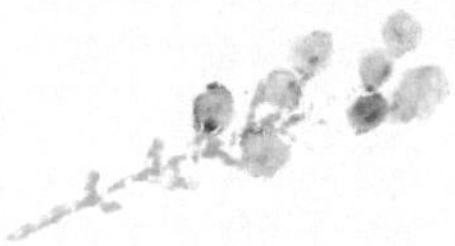

About NAOKAKERU...

『ナオカケル株式会社』は、2017年12月18日に設立しました。「どんな時にも、気持ちも身体もできるだけ心地よくいられるものを」という想いから、QOL（Quality Of Life：生活の質）デザインに取り組んでいます。

デザイナー中島ナオの経験を通して、『N HEAD WEAR』『Canae』『hitowan』など、生活に深く関わるアイテムを中心に生み出してきました。

ナオカケルは、アイテムのデザイン構想から商品化までを手掛け、必要としてくださる方々のもとへお届けしています。

ものづくりで大切にしている3つのこと

01

使い手にも、つくり手にも、やさしいものづくり

必要とされる数だけ、職人の手で一つひとつ丁寧に製作しています。

02

変化が訪れても、いつまでも愛せるものを

年齢を重ねても環境が変わっても、暮らしの中でずっと使い続けられるデザインを提案しています。

03

心地いいものができるまでこだわる

使う方の目線で想像し、選び、つくり、納得のいくものができ上がるまで向き合います。

はたらくとき 大切にしている 5つのこと

01

あたまをやわらかく

- まずは自分のものさしではかってみる。
- 先入観を持たず、相手のことを知る。
- お互いの背景や生き方を認める。

02

考えて、動いてみる

- その先にいる人のことを想像する。
- 悩んだり不安になったら、止めず勝手に悲しまず相談する。
- 常識にとらわれず、自分に合う方法を見つける。

03

小さな違和感に耳を傾ける

- みんなの意見の中で、一人しか言っていない言葉にも耳を傾けたい。
- 目に見えない、言い表せない感覚を、じっくりと考える。

04

相手を想う

- 伝える時、届ける時、一言ひとことに気を配る。

05

みんなの視点を掛け合わせる

- 課題にはみんなで向き合い、最良の答えを探す。
- 年齢、経験、知識にかかわらず、その人だからこそ持てる意見を大切にする。

N HEAD WEAR

心地よいあたまに着替えよう

髪があってもなくても楽しめるファッション＆ケアアイテム

Brand Message

QOLを保つために、自分を好きでいつづけられることは大切なことだと思います。

ただ、大きなものを失った時や変化があった時には、それが大きく揺らいでしまいます。

今までの自分と違う。今までのようには笑えない。髪だけでなく、眉毛もまつ毛も抜け、人と目を合わせられない時期もありました。

けれど『 N HEAD WEAR 』をかぶって出かけたある日、道を歩いていたら「ステキね」と声をかけられました。

着飾ることとはもう無縁だと思っていた。今のわたしを褒めてもらえた時の喜びは忘れられません。笑顔になれ、力が湧いてきたのです。

『 N HEAD WEAR 』を身につけて生活を始めて、毎日の身支度が楽しくなりました。もはや、まばらの坊主ですら大きなストレスに感じない今が、このアイテムのパワーを物語ってくれています。

A - LINE

中島ナオが初めてかたちにした『N HEAD WEAR』。華やかさをまとうことができる一点。柔らかく手編みで仕上げています。

B - LINE

リブ部分の折り方で３つの表情が楽しめる、シンプルなまあるいデザイン。外側をあたたかいウール、内側を肌触りの良いコットンで、あたまをすっぽりと覆ってくれる、安心できるシルエット。

C - LINE

B - LINE のスタイルを踏襲し、汗ばむ季節も使うことができるように、生地をコットン素材に。一点で2色を楽しめるリバーシブルタイプです。

F - LINE

シルクの西陣織が美しい、表情豊かなデザイン。京都西陣の機屋が織る伝統素材を使用し、一点一点手作業で仕上げています。肌に触れる部分はコットン100%。

P - LINE

お部屋でのリラックスタイムだけでなくお出かけの際にも、様々な場面で優しく頭を包み込んでくれる全面パイル地のデザイン。『IKEUCHI ORGANIC』の肌触りの良いオーガニックタオルを使用。

X - LINE

かぶる向きによって、異なる表情を楽しむことができる一点。伸縮性のある生地を使用しているので、快適なフィット感です。

売るためではなく、当事者として欲しいと思える帽子づくりへの飽くなきこだわり

聞き手：andsaturday inc.　庄司

株式会社ベルモード　営業部長

高橋 理恵（たかはし・りえ）

北海道函館市生まれ。高校卒業後に上京し、文化服装学院 ファッション工芸科・帽子コースで帽子の製作について学ぶ。2003 年、ニット帽子の魅力に惹かれニット帽子製造メーカーの吉川帽子株式会社へ就職。2015年、同社社長に就任。2019 年、株式会社ベルモードと合併し、営業部長として企画生産に従事。現在に至る。

ー高橋さんは、どのような役割を担われているんですか？

『N HEAD WEAR』の生産管理や検品作業といった、最後の工程を任せていただいています。


ー帽子づくりにおける最後の詰めの部分ですね。

はい。お客様に届ける上で絶対に間違えてはいけない工程なので、大きな責任を感じながら関わっています。


ーその中で感じられたナオさんのデザインって、どのようなものだと思われますか？

彼女のデザインは、外の世界に目が向いていました。療養のための帽子を探すとなかなか素敵に感じるものが少なくて、家にいるための帽子、隠すための帽子ばかり。気が滅入っちゃうという話も聞いていたんです。


ーその話は私も伺いました。

はい。やはり彼女は当事者でもあるため、そんな悩みを持たれている方に寄り添っていくというのが大きなテーマでした。普通の帽子だったらスルーしてしまうところまでこだわっていたんです。

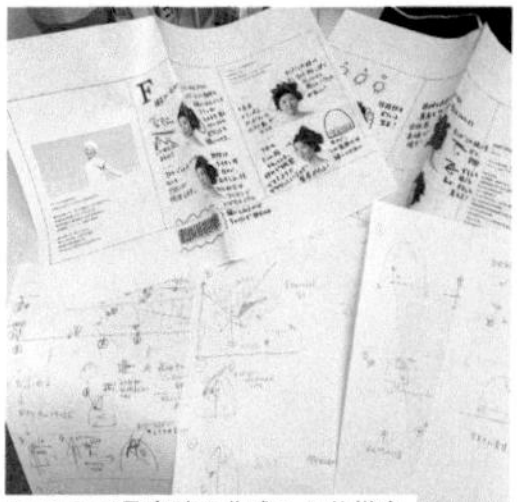
F-LINE の量産時に作成した仕様書

ー普通の帽子づくりとは違っていたのですね。
10年以上帽子づくりに携わってきた私にとって、ナオさんの帽子づくりへのこだわりはとても新鮮なものでした。正直、効率は全然良くないんですよ。

ー効率ですか。

それは、帽子を売るためだけではなくて、当事者として自分が欲しいものを諦めずに追求したいという、ものづくりに対する姿勢が滲み出ているからこそなのですが。


ー例えばどのようなことでしょうか。

そうですね……例えばネームタグの付け方。通常だと、外れないようにしっかり四方を縫い付けるのですが、髪の毛がないお客様の肌に当たって痛くないように、いつでも切り外せるようにと部分的に縫い付けることにしました。あと、帽子のシルエットを特に気にされていましたね。


ー帽子のシルエットというと？

例えば、西陣織で仕立てたフリルがついた F-LINE。京都西陣の機屋が手織りしてつくった伝統素材を用いているからこそなのですが、仕入れ時の布のサイズ感がまちまちだったりするんです。だから型にはまったような製作はできず、ひとつずつかぶりながらシルエットが美しく出ているかサンプルの段階で丁寧に確認しました。検品時に、もう一度やり直したいと言われることも多くありましたね。

ーそんな細やかな確認まで。
他にもベレー帽で、手に取って見たところ形は同じようなのに、かぶった時の高さが違う、シルエットが違うということにまで気付かれたり。どうにか直せないかと、何度も相談を受けていました。

ー当事者として本当に必要とされる帽子かどうかを、最後まで妥協しなかったということですね。
そうですね。帽子をつくった後も、「どうやったら綺麗に届けられるかな」って、梱包のリボンの長さやシールの位置まで何度も悩まれていましたね。

ーきっとお客様にも、その想いは届いていますね。
そう思います。実際、帽子をかぶらずにオンラインで購入される方も多くて。それはきっと、彼女のこの想いがあるんだったらいい商品に決まっているから大丈夫、という説得力があるということなのだと思います。帽子に想いが乗っているから伝わるし、素材や仕様も全て、なんでこうしたかということへの裏付けがあるんです。

ーだから伝わるんですね。
そして彼女が一番すごいのは、こだわりを持ちながらも、柔軟な思考ができることだと思います。自分がこだわっているポイントはぶらさずに簡潔に伝えながら、現実的にできるところとの落とし所をうまくつくることで、つくり手側にも心地よさを与えてくれる。ご自身が帽子づくりに真摯に向き合ってきたからこそ背景や工程も理解されていて、そういうことができるデザイナーさんって少ないですよ。

ー今後の展開で考えられていたことも教えてください。
2020年の暮れから今年にかけて、2型ほど新しいものを考えているんですと相談が来ていました。一つは、彼女が手で編んでつくったチュール生地が使われた A-LINE を、一点ものではなくて量産に持っていけないかというもの。

2021年秋商品化の A-LINE

ーナオさんがよくかぶられていた、ひらひらとした華やかなものですね。
もう一つは、お子さんから大人までかぶることのできる F-LINE の新作も考えていました。これらの背景にはやはり、もっと多くの人に届けたいという想いがあるのだと感じています。

ー最後に、ナオさんとの会話で心に残っていることがあれば教えてください。
会話の中でナオさんは、治療を進めるうえで諦めたこともたくさんあるのだと教えてくれました。でも、選んだ道にあるものを大切にしていけば、諦めたことも良かったと思えるんだ、って。他を諦めてでもこの道を選んで良かったと、言葉を変えていろいろな場面でおっしゃっていました。

だからこそ、その想いを『N HEAD WEAR』に乗せて、これからもたくさんの人に届けていきたいです。

使い手の声

あなたにとって『N HEAD WEAR』とは？

ウィッグを楽しむことはあっても帽子だけで楽しむことは今までなかったので、感動したのを今でも覚えています！ C-LINE は、髪のない状態でもウィッグの上からでも着用できました。特に、髪のない状態で実際にかぶってみた時に、そのよさを実感しました。X-LINE は華やかな見た目なのでヘアアレンジにはできない個性も出せます。かぶる向きを変えて使えば、旅行先でウィッグを外せない状況でもそのまま寝ることができたりと、見た目以上に万能だと感じました。（20 代女性）

購入する前、どの『N HEAD WEAR』にしようか迷っていました。買う前に試着して、持っている他の服とも合うか沢山使えるか悩んで。その過程を経たからこそ、自分だけの特別なモノになる。だからこそ何年も使い古したくなるモノを選びたい。スタッフの方にアドバイスをいただき購入した B-LINE と F-LINE に合わせて、イヤリングを注文しました。合わせてみると、似合っていて嬉しくなりました。『N HEAD WEAR』を手に入れてから、とても久しぶりに化粧品も買いました。色々なかぶり方を試しながらオシャレを楽しんでいます。（30 代女性）

治療中の祖父の薬が切り変わることになりました。副作用による脱毛が考えられ、治療に対する不安な気持ちを少しでも和らげてあげたいと思い P-LINE をプレゼントしました。祖父が元気にお出かけする時に履いていたジーンズの色に似た、ネイビーカラーのヘッドウェアはよく似合っていました。穏やかな笑みを浮かべて大事そうにかぶっている祖父の横顔を見た時、嬉しい気持ちで心がいっぱいになりました。形見になった P-LINE は、今では私がファッションアイテムとして身につけています。（70 代男性・20 代女性）

対談

「想い描く人」と「形にする人」帽子づくりで紡いだ絆

帽子デザイナー

武市 暁

ナオカケルを象徴するブランド、『N HEAD WEAR』を語る上で欠かせない人がいます。それが、帽子デザイナーの武市暁さん。2 人の対談を通して、ナオカケルがものづくりにおいて大切にしていることに触れていきます。

ナオカケルの帽子づくりの原点にある出会い

中島ナオ（以下ナオ）：武市さんとの出会いは、私が講師を務めた服飾大学の先生からつながったご縁だったんですよね。

武市暁（以下武市）：そうでしたね。ある時その先生が、大学で授業を持っていた私に、展示会でナオさんにお会いされたことを興奮気味に話してくださって。素敵な帽子をかぶっていて、「目的のある帽子」という視点で帽子づくりをされているのが印象的だったと熱く教えてくれたんです。

ナオ：当時からつくっていた、髪の毛があってもなくてもかぶることができるというコンセプトの帽子を、その先生に見ていただいたんです。そのご縁でお伺いした研究室で、武市さんとお会いして。

武市：その時に、「ナオさんに授業をお願いできませんか」という話をしましたよね。以前から帽子の授業を受け持つ中で、身近なアイテムゆえにどうアプローチするか難しい面も感じていて。授業の中で、何か目的意識やテーマを共通して持つことができたらいいなと思っていました。ナオさんのはっきりとした目的意識・テーマをお借りする形で、ぜひ生徒たちと一緒に学んでみたいなと思ったことをよく覚えています。

ナオ：その授業は4年生の卒業制作だったのですが、帽子づくりへの想いを生徒のみなさんにお伝えすると、熱心に耳を傾けてくださって。私にとっても貴重な経験となりました。

武市：ナオさんの話を生徒それぞれがかみ砕いて消化して、自分なりのアプローチを見つけようとしていたのがとても印象的でした。誰かの助けになるもの、そして楽しんでかぶることができる帽子ってどんなものなんだろうって、一人ひとりが目的意識を持って考えるきっかけになったと感じています。

ナオ：その年がちょうどヘッドウェアづくりを始めたタイミングでもあって、自分で手縫いで安全ピンなども使って試作品をつくりながら、ああでもないこうでもないと進めていたんです。でも当時は、どうやったら商品として世の中に届ける帽子をつくることができるのか、さっぱりわかっていなくって（笑）。

武市：そんな様子を見ていて、ナオさんの想いを形にできたらと思ったんですよね。何かお力になれるかもしれないですとお伝えしました。

ナオ：もちろん武市さんがご自身のブランドである『TERAI craftment』を持たれていたことは知っていたのですが、細かな手作業を重ねて製作したり、デザインをパターン化して商品にしたりという帽子職人としての仕事をされていることを、その時に初めて理解したんですよね。私が必要としていた人が、こんなに近くにいたんだって思いました。

武市：それで一度私のアトリエに来ていただいて、作品や商品を見ていただきながら2人であれこれ妄想を広げましたね。

ナオ：はい。肌寒い季節で、窓の外に落ち葉が見えていたことをよく覚えています。そこに置いてあるものとか道具とかのセンスが素敵なので、武市さんのアトリエで過ごす時間が私にとってすごく楽しくて。お話をする中で、西陣織でつくる象徴的で特徴的なデザインのF-LINEを、武市さんに形にしていただくことになったんです。

目指したのは、隠すのではなく華やぐ帽子

武市：2017年にまずはF-LINEをつくり始めました。最初からこうしたいというイメージが強くありましたよね。

ナオ：前例がないものをつくる難しさの中で、武市さんに素材や形までご提案いただいたものを、かぶりながら調整するやり取りを何度も繰り返して。企画側とつくり手側という双方の視点を持ちながら、私の面倒臭さに付き合ってくださる武市さんがいたからこそ、今のヘッドウェアがあると常々思っています。

武市：どのように表現していくべきか悩みながらも、試行錯誤してきたつもりではあります。正直大変だと思った時もありましたが、ナオさんの熱い想いに突き動かされていましたね（笑）。ナオさんが特にこだわられていたのは、例えば帽子の内側の肌触りやかぶる深さのこと。「現実としてこうじゃないと当事者は困る」と妥協しないことが印象的でした。

ナオ：寝た時に当たる部分が痛くないことや、かぶった時に違和感がないということなどは、どうしても譲れないんです。

武市：そうやってかぶり手のことを考え尽くした帽子って、なかなか他に無いものなんです。それに帽子って、かぶることで機能を果たす以外にも、自分の頭の形以外のものに変化できるという面白さがあるアイテムだと思っていて。ナオさんの発想って、そういうところにもアプローチをしていますよね。

ナオ：それで言うと、大切にしたのはボリューム感ですね。ボリュームがないと帽子をかぶっていても髪の毛がないことが一目でわかってしまうので、それは避けたいなって。かぶった時に気持ちが華やいで気分が上がるものをつくりたかった。

武市：何かを隠すとか、見えなくする方向に考えられている商品って本当に多いと思うんです。ただそういう発想ではなくて、まず帽子をかぶった時のシルエットが美しく、ファッションとして楽しんでもらえることを大切にしている。そこにナオさんの美的感覚が加わることで、『N HEAD WEAR』は唯一無二のブランドになっていると感じます。

ナオ：武市さんに付き合っていただけたからこそです。F-LINEが最終的に工程を見直しつつきちんと形になるまでには、1年くらいかかりましたよね。

武市：そうですね。F-LINEと同時進行で、B-LINEも動かしていましたね。

ナオ：B-LINEは、よりシンプルに一つ目の帽子として選べるものをつくりたいねというところから、ベレー帽をアレンジしたようなシルエットを目指しました。そんな感じで、次々につくりたいものが浮かんできては武市さんに相談し続けて、今までずっと一緒にやってきた感じ。

武市：最初はワンサイズだったものが、今では4サイズ展開で色数も増えましたよね。ナオさんの描くデザインもより具体的になっていきました。

ナオ：何もわからないところからスタートしているので、一つひとつ形になることで、次はこうしたいと要望もリアルになっていったんだと思います。

武市：最初は私も企画やデザインの段階から参加させていただいていました。でもナオさんのつくりたいもののイメージがズバッと決まるようになるにつれて、自然と安心して任せられるようになったんです。何だかおこがましいのですが。

ナオ：私の方は、武市さんのことを知るにつれて、こんなものをつくりたい！という想いも強くなっていきました。

武市：とてもありがたいです。少し照れてしまいますね。

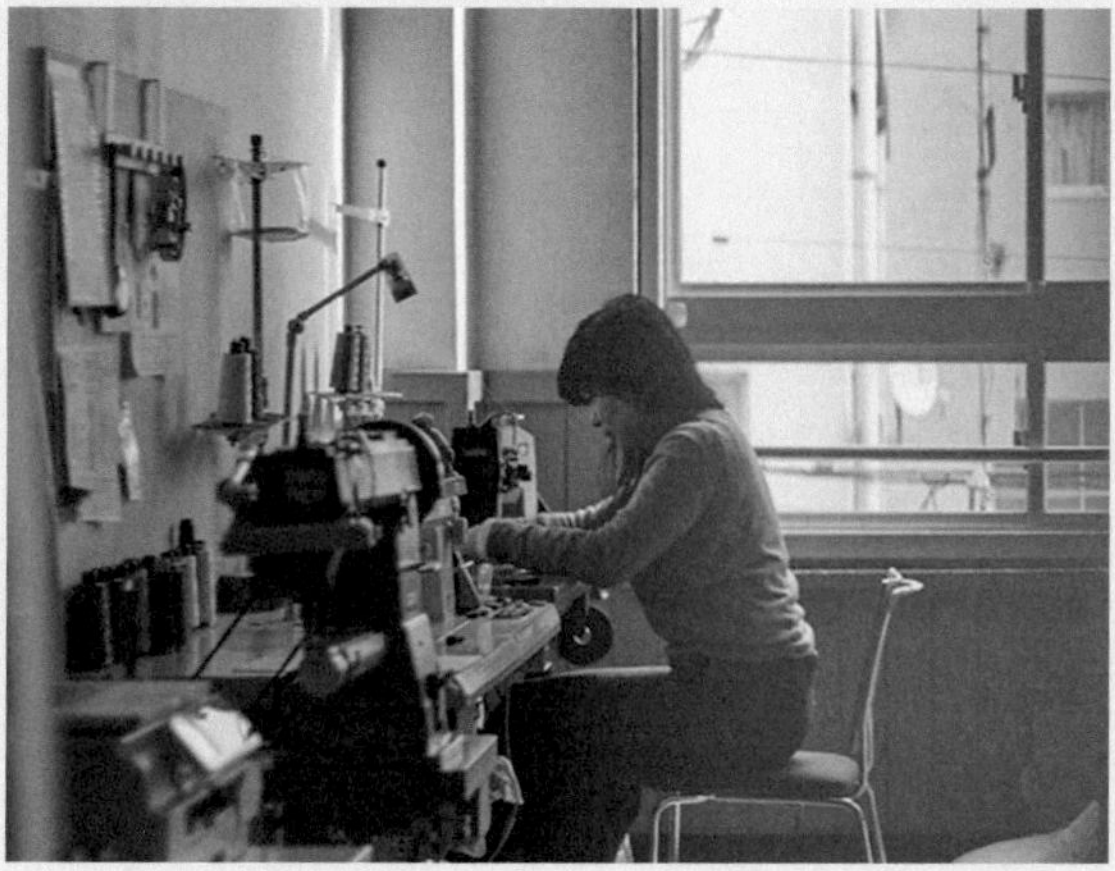

想いにぶれが無い、ナオカケルのものづくり

武市：私のお店に『N HEAD WEAR』を目当てに、ご病気で治療中の方やプレゼントで買いたいという方がたくさん来てくださるんです。皆さんが口を揃えて、ナオさんがこだわっていた肌触りや帽子の深さが良いとおっしゃられることがとても印象的で。

ナオ：えぇ！それはとても嬉しいです。

武市：ナオさんの想いと『N HEAD WEAR』をかぶられる皆さんの想いがつながって、感動するポイントとしてしっかりと届いているんですよね。試着した時に顔がパッと明るくなる瞬間に、何度も立ち会ってきました。

ナオ：そんな生の声を聞けることが励みになりますし、気付きと喜びにつながりますね。もちろん喜ばれたらいいなと思って作っていましたが、実際本当に、ウィッグの人や治療中の人に選択肢の一つとして選んでいただけるんだ！と、反響をいただいて初めて安心しました。

武市：そうやって考えてみると、改めてナオさんのすごさは、想いがぶれないことだと思います。こんな帽子があったらいいのにという変わらない想いがベースにあって、どうつくって伝えていくかを考えて、それがそのまま反響として結果に現れているわけですから。なかなかできないことだと思います。

ナオ：武市さんがどう思われているか普段聞く機会もないので嬉しいです。武市さんは私にとって、会う度に想像力を刺激してくれる人で。こんなに刺激をいただける存在を近くに感じながら、何年も一緒に歩んで来られたのは、私にとって大きなことなんですよ。

武市：本当にこちらこそと言うか、やっぱりナオさんほどに熱い人に出会うこともないので、いつも気付きや発見をいただいています。今までやられていたことの全てから、その熱さを感じているんです。

ナオ：帽子づくりのプロの方にそういう言葉で表現してもらうと、嬉しいというかやってきて良かったというか。これからもしっかりと形にしていきたいなあと、改めて思える言葉をいただいたように思います。

武市：ありがとうございました、少し緊張しましたが、今までのことをお話しできて嬉しかったです。

ナオ：そう言っていただけて嬉しいです。

武市：ぜひこれからも、一緒に想いのある帽子をつくっていきたいです。

ナオ：ぜひお願いします！今まさに温めているアイデアがあるので、良いタイミングでお話しできることを楽しみにしています。

ナオさんへ

ナオさんが全力で残した物語りは
みんなの心に生き続けているでしょうし、
私の心にもナオさんの輝く笑顔が鮮明に
生き続けています。

武市 暁

武市 暁（たけいち・あき）

多摩美術大学工芸学科卒業。大学ではガラスを学ぶ。メーカー勤務を経て、国内アパレルの様々なブランドの OEM・ODM 帽子製造に企画営業・職人として関わる。2014 年、日本の製帽技術を活かした自身の帽子ブランド「TERAI craftment」をスタート。帽子の企画や製造を行う。

Canae

今の自分のままでいられる心地よさ
わたしに新しい自信をくれる、新発想のリラックスウェア

『Canae』を製作していた時。身体は手術してから 5 年半が経っていましたが、まだ今の自分に合う心地よさにはたどり着けていませんでした。

身支度をする時に何かがずっと引っかかる感じ。何年も、失ってしまったものを秘めて暮らしてきていたように思います。

ずっと考え続けてきました。
「わたしは、何にとらわれているのだろう？」

この数ヶ月、外に出るのは週１回の病院。普段と大きくは変わらない､家の中での生活。周りの人と同じような、携帯電話・パソコンでのやりとり。ですが、わたしの身体には、大きな変化が起こってしまっていました。

Brand Message

病状が悪化してきて、身につける物の少しの締め付けでも苦しくなりました。

下着をつけられないほどの体調の日も増え、「もう、この服を着ることができない」と、また手放さないといけないものが増えると同時にずっと自問し続けていました。

この先の生活を考えた時、「家で、病院で、わたしはどんな服を着たい？」「どんな姿勢でいたい？」

力が出なくてうつむいてしまう時、具合が悪くてフラフラ歩く時があったとしても、ちょっと気分が良い時には、晴れた日には、背筋を伸ばして過ごせたらいいな。
「それは、どんな服なのだろう……」

やっぱり、「新しい選択肢」が欲しいと思いました。
そうして誕生した服が『Canae』です。

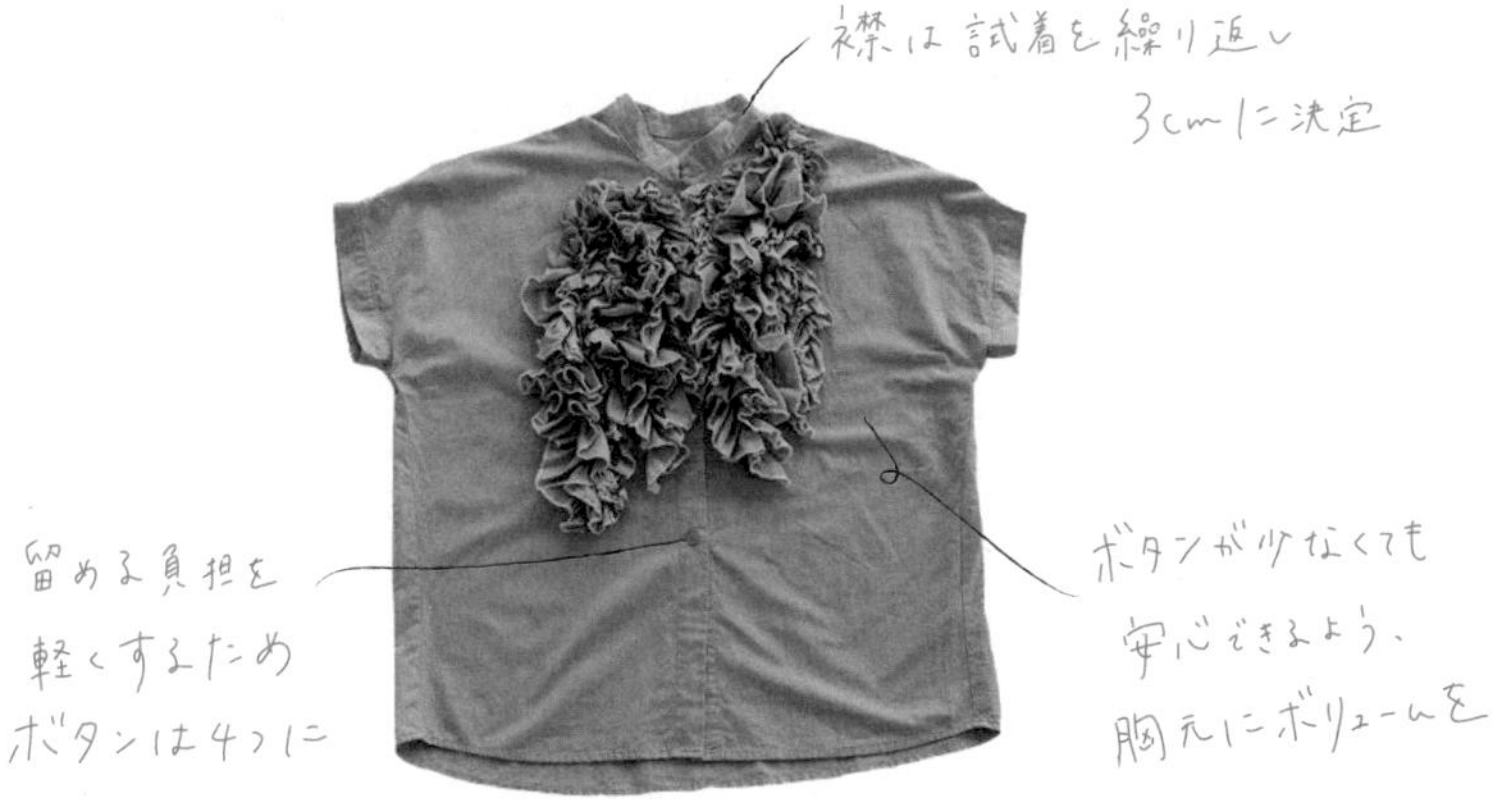

STYLE - 01

Nami

フレンチスリーブシャツ

波のような趣のある表情に仕上げた、前開きシャツ。ワンウォッシュをして生地のうねりと糸先の遊び、色落ちを施しました。手作業による１つしかないモチーフの表情が楽しめます。

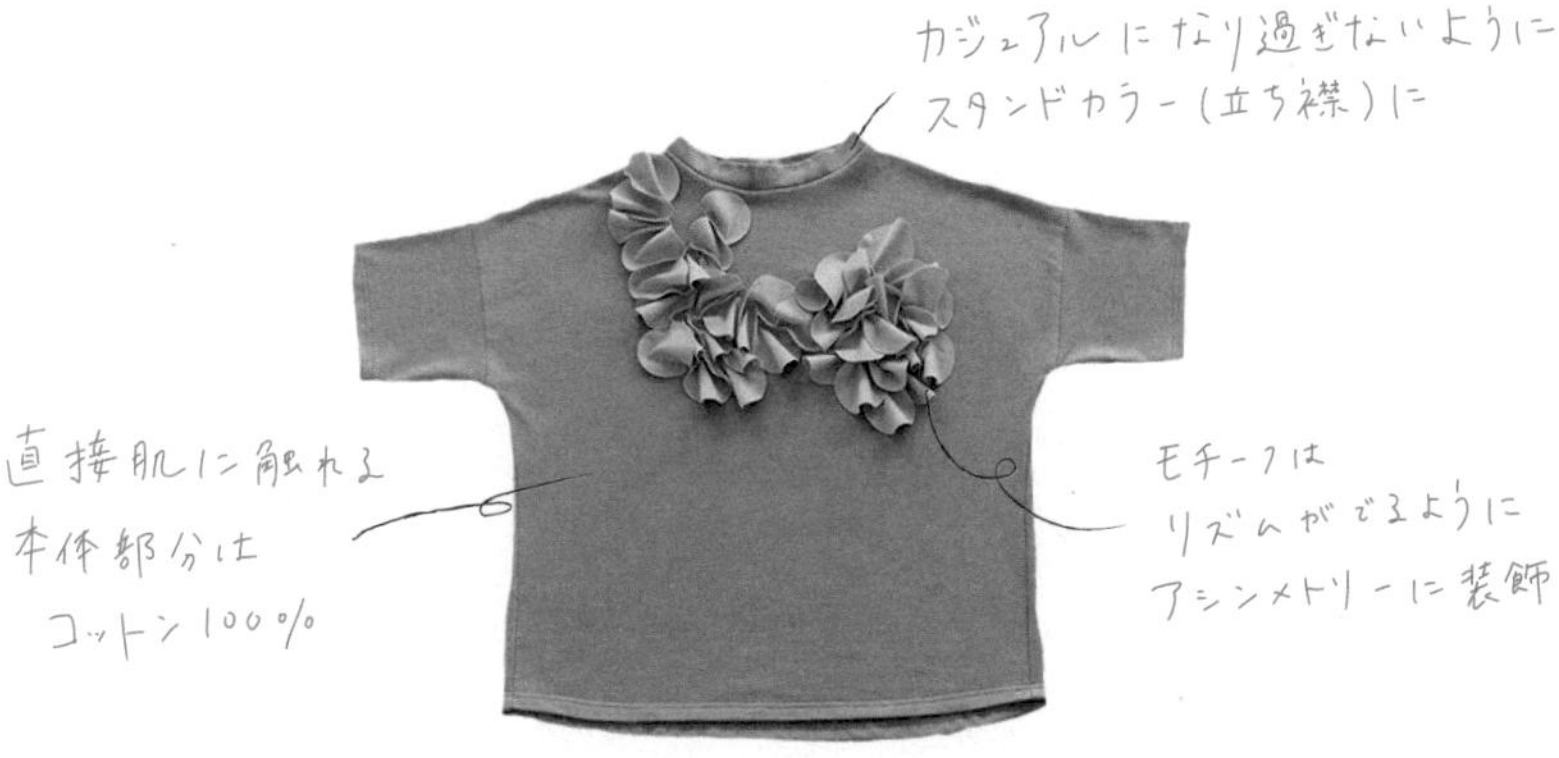

STYLE - 02

Hana

スタンドカラーカットソー・半袖

すぽっとかぶれる、脱ぎ着が楽ちんなデザインのカットソー。
花のようなモチーフの重なりが、優しく胸元を飾ってくれる一枚。
印象の異なる３色展開です（ブラック・ベージュ・ライトグレー）。

STYLE - 03

Hana

Vネックノースリーブワンピース

すぽっとかぶれる、脱ぎ着が楽ちんなロング丈のワンピース。

カジュアルになりすぎない心地よいコットン100%の裏毛素材。伸縮性がある中厚地なので透けず、身体のラインを拾いにくいシルエットに仕上げました。

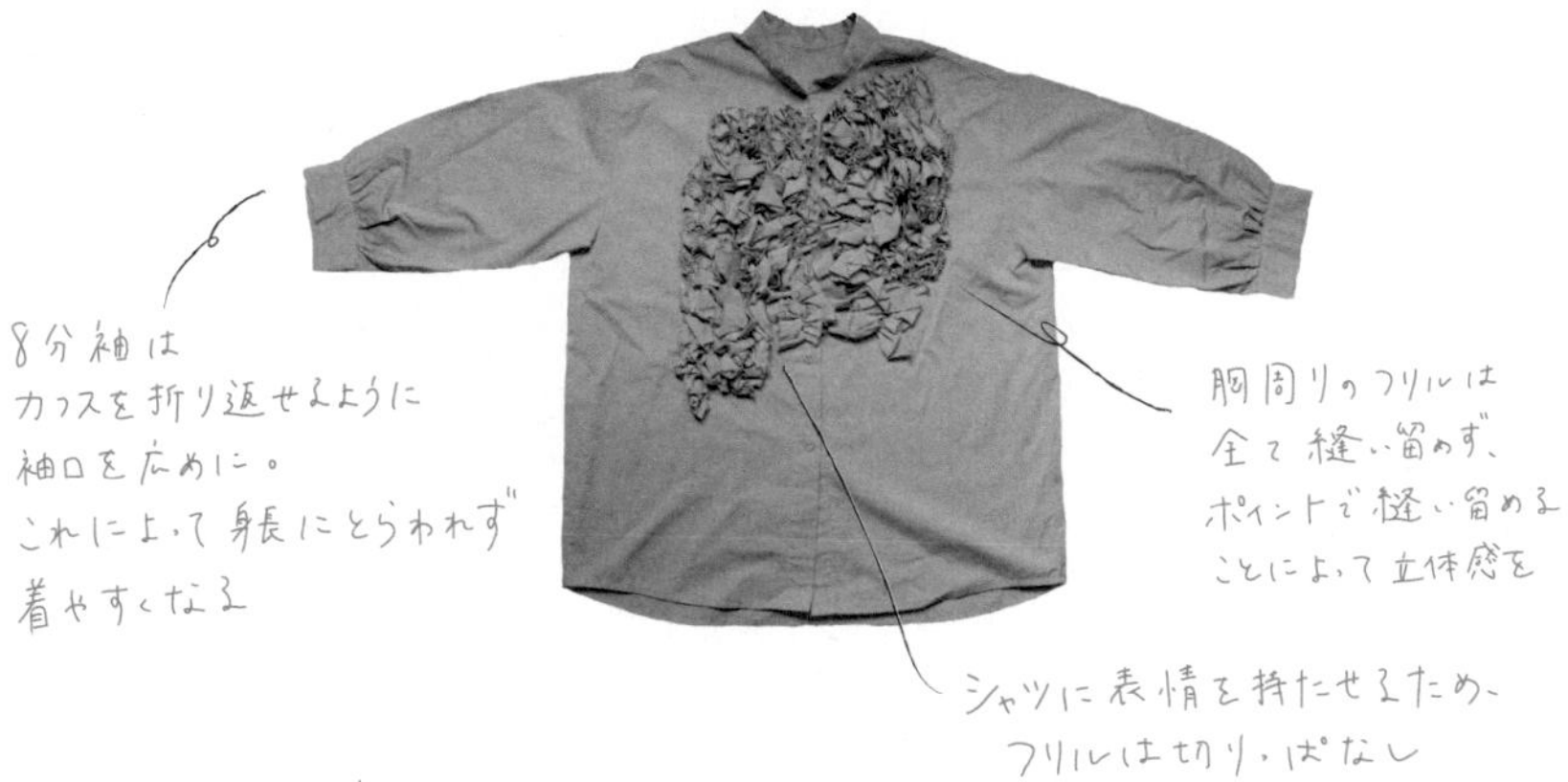

STYLE - 04

Nami

ドロップショルダーシャツ・8分袖

ハリのあるソフトな風合のコットン100%の生地を使った前開きシャツ。

一年を通して使いやすい素材です。手首を見せることでスッキリ感がプラスされる8分袖の袖口には、前側のみギャザーを入れました。

日々の暮らしのどんなシーンにも寄り添うことができる洋服をつくりたい

聞き手：andsaturday inc.　庄司

chainus　デザイナー

ワタナベ カズエ

広島県広島市生まれ。chainus として、洋服、ファッションアイテムを中心に企画、デザイン、パターン、縫製を行う。日常のなかで、シーンにとらわれず様々な場面で楽しんでいただけるよう、ディティールと着心地、使い易さにこだわる洋服を提案。デイリーウェアの他、ステージ衣装も製作。

—『Canae』が発表されたのは、2020年でした。

実は、私とナオさんが出会ったのもその年なんですよね。


—そうだったんですね。

はい。なので出会ってから『Canae』の製作まで、すごいスピードで進んでいきました。


—何が2人を引き寄せたのでしょうか？

以前から私も、特に病の時に着る洋服って大切なんじゃないかって考えていたんです。それはやっぱり、お気に入りの洋服を身につけることには、前向きな気持ちになれて心の温度を上げてくれる力があると思っているから。


—想いの部分で共感することがあった。

そうです。『N HEAD WEAR』のお話を伺う中で、帽子だけではなくて次は洋服もつくりたいと話していて。それだったらと、洋服づくりというチャレンジをご一緒することになりました。


—そうして『Canae』の製作が始まったんですね。

ナオさんのものづくりは、いつも自分視点での「こうだったらいいのに」からスタートしていますよね。その頃は下着の締め付けを、以前より苦しく感じるようになってしまっていたようで。


—だから、下着をつけなくて済むような服を作ろうと。

はい。女性は下着をつけないとどうしてもバストトップあたりが気になると思います。それをカバーしながらも、隠している感じではなく着ていて解放感があって楽しいものにしたい。そんなことをどのようにしたら実現できるか、一緒に考えていきました。


—隠すのではなく楽しいものを、という視点が、ナオさんらしいですね。

そうですね。乳がんだから、病気だからとかではなくて、下着をつけないという選択肢をあらゆる人が暮らしに取り入れられる、誰が着ても楽しいリラックスウェアを目指しました。


—ナオさんならではのものづくりって、どのようなものだと思われますか？

ナオさんって、細部にわたってこだわりが強いんですよね。例えば襟を4mm高くしましょうとか、腕のタックは2cmつまむと詰まった感じになってしまうから1cmにしましょうとか。とにかく自分が納得するまで試して、何度も調整を重ねました。

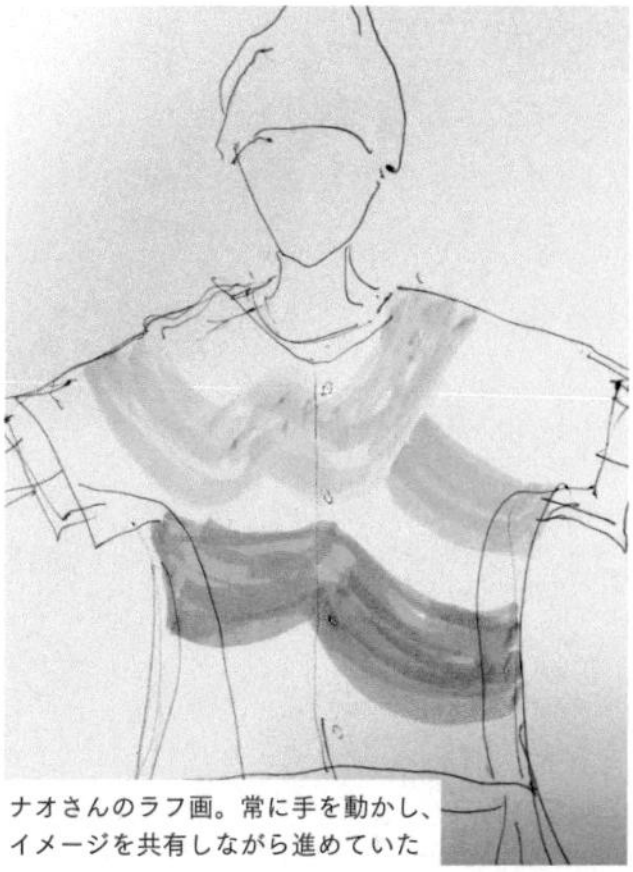

ナオさんのラフ画。常に手を動かし、イメージを共有しながら進めていた

ーなるほど。

それと素材についても、直接肌に触れる部分は天然素材にこだわられていました。生地の厚みも体のラインを拾いすぎず、それでいて着心地の良いものになるようにと、調整を重ねていきましたね。

ーそんな２人のこだわりと想いを詰め込んで、ついに『Canae』が完成したんですね。

実際にでき上がった『Canae』を着て、「そのままレントゲンに入ることができるんだよ」と、ナオさんは嬉しそうに教えてくれました。他の洋服に着替える必要もないので、病院に行く時にはいつも『Canae』を着ていると。病院でも可愛いって言ってもらえたと、喜んでいましたね。

ー他にもナオさんのものづくりへの姿勢として、印象に残っていることはありますか？

やっぱり、『Canae』をつくること、身につけることを、誰よりも楽しんでいた姿が印象に残っています。体調のことは一切口に出さず、私の方が元気をもらってしまうくらいで。電話をするといつも、「元気ですか？」とナオさんから尋ねてくれました。

ーそうだったんですね。

ナオさんは常に、自分と同じような想いをされている患者さんに、自信を持って届けられるものをつくろうとしていました。誰よりもそこに責任を感じられていました。だからこそ、その気持ちを私が損なってしまわないように、ナオさんのこだわりを忠実に再現できるようにと、想いを込めてつくらせていただいています。

ー温めている新作の話もあるそうで。

そうなんです。途中までデザインが進んでいるものもあって。ワクワクするような『Canae』の広がりをナオさんと話していたので、今後もナオさんの想いを大切にしながら新商品をリリースできたらと思います。

ーこれからが楽しみです。『Canae』が描く世界は、病の有る無しという境界線を超えて、とても温かいものに感じます。

ありがとうございます。自分のおかれている状況やその日のメンタルなど。人はそれぞれ気になることも抱えていることも異なりますが、日々の暮らしの中で、どんなシーンにも寄り添えるお洋服をお届けできたらと思ってます。それが、ずっと変わらない私たちの願いです。

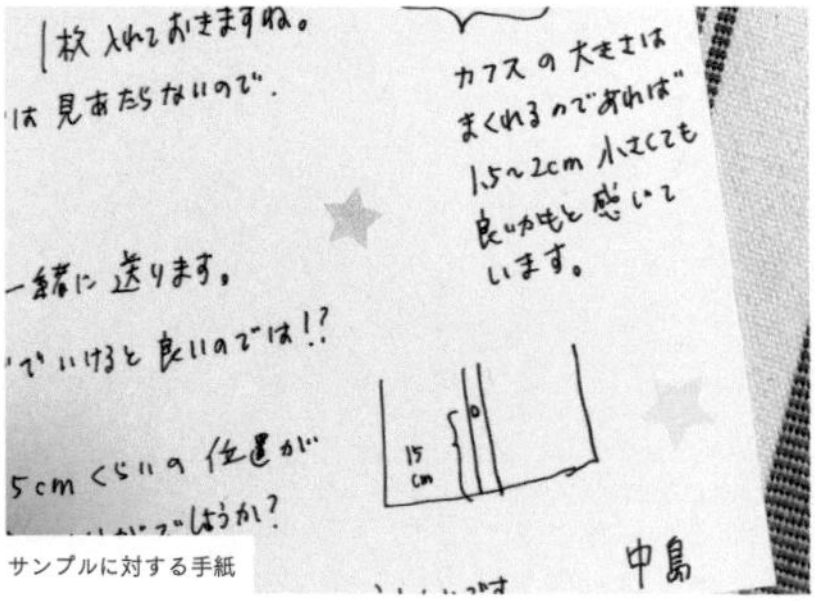

サンプルに対する手紙

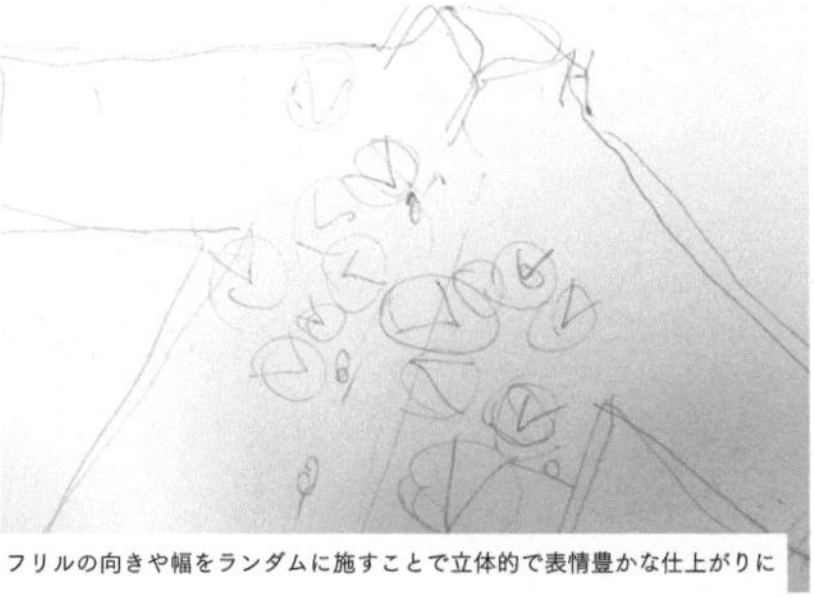
フリルの向きや幅をランダムに施すことで立体的で表情豊かな仕上がりに

使い手の声

あなたにとって『Canae』とは？

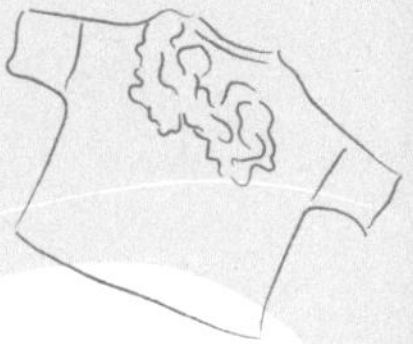

通院で胸部レントゲンを受ける度に、下着に金具などが付いているため検査着に着替えていました。『Canae』の Hana を着た時は、インナーにタンクトップだけで大丈夫なのでこのまま着替えずに撮影してもらえます。注射の時も袖ぐりが広いのでスムーズです。2 年前入院していた頃に『Canae』があったら、お見舞いの方が来てくれた時など重宝したと思います。今までの通院時には、体のラインが目立たない、ゆったりした脱ぎやすい洋服を着ていましたが、そこに「おしゃれ」の概念はありませんでした。でも『Canae』を着るようになってからは、病院へ行くのも以前より明るい気持ちになっています。（30代女性）

私はナオさんが生み出した作品を衣服ブランドのサイトで眺めているうちに、やはり作品を身につけることでナオさんとつながり、着る度に周囲へ紹介し続け応援したいと思いました。職人さんが手作業で丁寧に仕上げる、胸に飾りのついた美しいシャツは、オーダーから 1 ヶ月程して届きました。初めて手にした時、春先に森林公園の水場に群生しているワスレナグサの透明感あるブルーを思い出しました。羽織ると肌馴染みが良く、ゴワゴワ感が全くない生地も好ましい。ワスレナグサの英名 “forget-me-not"。これからも、ワスレナグサ色のナオさんのシャツを、大切に着ていこうと思います。（40代女性）

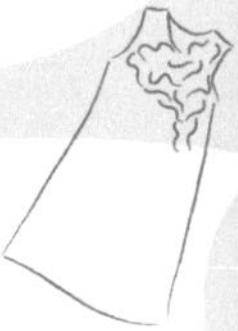

袖を通した瞬間、これまで私の中にあった「シャツを着る」というイメージが変わりました。新感覚！ ふんわりと優しく包まれている感覚。それでいてシャリっと涼しく着心地がいい。ギャザーの先にまでこだわられている繊細な色合いと動きは、見ているだけでも楽しめます。何よりも私の心を明るくしてくれたのが「隠さなくていい」デザイン。胸元に不意に触れた時、鏡に自分の姿が映った時、いつも私の中心にあった気がかり。でも『Canae』をまとったらそんな不安な思いは消え、背筋がしゃんとした笑顔の私がいました。（40代女性）

hitowan

伝統にアイデアを

遠ざかる伝統と現代人の距離を縮めたお椀

『hitowan』は、わたしが 2007 年に会津若松の漆に出合い、デザインしたお椀です。

長い期間の抗がん剤治療。それは、『hitowan』と共に過ごす日々でもありました。病気と向き合い人生を見つめ直す中で、いつも側で寄り添ってくれたのは『hitowan』でした。

漆は英語表記で “japan” と表される、日本が誇る、受け継がれていくべき素材です。漆のお椀は使うほどに味が出ます。まるで呼吸しているかのように。買った時がいちばん美しい消費社会のものとは異なり、年月とともに艶や色が深まり、磨かれていく美しさがあります。

ですが、漆器は価格やお手入れの手間がかかるというイメージから、日常使いとしては難しく、贅沢なものとして、私たちの生活と距離のあるものになっていました。

毎日お椀でお味噌汁を飲んでいる人は、1 日何回お椀を口に運ぶのだろう。それを 1 年で、10 年でと考えたら…… 10 年、20 年使えるお椀を手にすることは、決して高い買い物ではない。そう実感したのもこの時でした。

人はきっと、生まれてから死ぬまで、「おいしいご飯をおいしく食べたい」と思うでしょう。

ひとつのお椀は、そんな小さな幸せを、しっかり支えてくれます。それは何気ない日常から、その先の未来まで大きく変えていくような気さえします。

「毎日のご飯をおいしく食べて欲しい。そして、健やかに生きて欲しい」
そう思える人へ、気持ちと一緒に贈るのはいかがでしょうか。

POINT - 01

口の向きを斜めに

傾きをつけた口には、料理を盛り付けた時に、料理が包み込まれているような視覚的な魅力を引き出す力があります。また、ひとつのお椀の中にも場所によって厚みの違いが生まれ、口に触れるたびに違う感覚を味わえます。

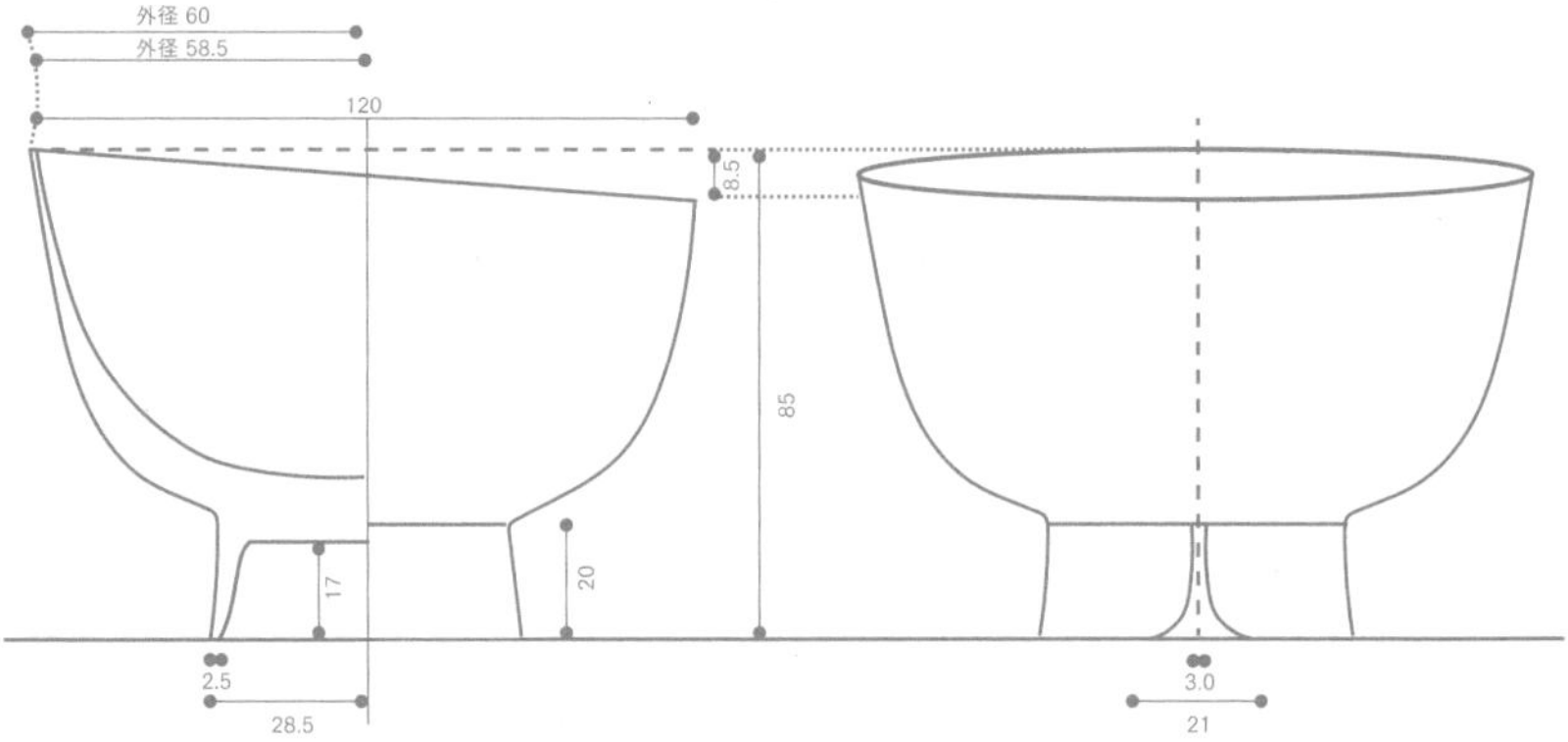

POINT - 02

高台の切り込み

漆は長時間水にさらされることを嫌う性質があり、長く大切に使うためには、水にさらした状態を避けることが重要。高台に切り込みを入れることにより、洗った後の水が自然と流れるデザインになっています。

POINT - 03

塗りのデザイン

桜の木から作られている素地のぬくもりを視覚的にも感じられるよう、一部素材の質感を美しく見せるための塗り加工を施しています。美しい木目からも日本の伝統のものづくりの繊細さを感じとっていただけると幸いです。

hitowan ができるまで

全てが手作業で、一つひとつつくられていく『hitowan』は、リレーのバトンのように、大切に運ばれ、完成に向かっていきます。デザイナーの中島ナオがデザインを手がけ、木地、塗り加工とそれぞれの分野の職人が全て手作業で約３ヶ月かけて製作されます。

木地｜荒井さん

木の固まりから、お椀の形を少しずつ削ってつくり出します。木の粉が舞う中、命が吹き込まれる作業です。

塗り｜冨樫さん

人の身体にたとえ、木が骨だとすると、筋肉となる下地をつけます。お椀を強くするための作業です。

木地加工｜小林さん

『hitowan』の斜めの口と、高台の切り込み。ここで、個性を加えます。熟練した技が光る細かい作業です。

塗り｜冨樫さん

最後に、皮膚をかぶせるような繊細な上塗りを行います。他の人は入れない部屋で行われる特別な工程です。

見た目の美しさ、機能、そして価格。漆のお椀を届けるための妥協を許さない挑戦

聞き手：andsaturday inc.　庄司

漆職人

冨樫 孝男（とがし・たかお）

1975 年、会津若松で代々会津塗を家業とする家に生まれる。1993 年より石川県立輪島漆芸技術研修所にて、塗り・蒔絵・沈金を学ぶ。1996 年から木曽の漆芸家のもとで修行。1999 年、会津若松に戻って独立する。「Togashi Takao」ブランドで作品づくりを始め、全国で行われる個展、グループ展を中心に活動している。

ー冨樫さんとナオさんの出会いは、10年以上前のことなんですよね。

中島さんが大学生の頃ですね。その頃会津では学生との交流を頻繁にしていまして。大学の卒業制作で『hitowan』のプロトタイプをつくるということで、訪ねてきてくれたんです。


ー初期段階から携わられていた。

はい。その時は赤と黒の2色で、3種類のサイズをつくりました。大学を卒業されてからは年賀状のやり取りこそしていたのですが、お会いしない期間が続いたんですよね。だいぶ時間が空いたのですが、ある年会津の街で漆のイベントが開催された時に、近くに来たのでと突然電話をいただきました。


ーそこで会って欲しいと言われたのですね。

ちょうど用事があって時間をつくることが難しいとお伝えしたのですが、「いや、10分でいいので！」と。それでも大切な用事だったので、やはり難しいですとお断りしたのですが、「本当にちょっとで大丈夫なので」と押し切られまして。結局、10分どころじゃ済まなかったんですけれど（笑）。


ーナオさんらしいです。どんなお話だったんですか？

改めて学生時代につくった『hitowan』を商品化したいんですと、お話しいただきました。それを聞いた時に、これは大変そうだなあと思いましたね。


ーどうしてそう思われたのでしょうか。

プロトタイプの時は、一点ものでしたので手彫りでお椀をつくっていました。ですが、商品化ではある程度量産を見据えないといけないので、機械を入れる必要があります。でも『hitowan』は上縁の角度や高台の切れ目など複雑な形状なので、それが難しいんです。見た目の美しさだけではなく、機能も伴わないといけないので、他のお椀と比べても特に難しいなと感じました。

切り込みの幅、深さも複雑な形状

ー細部にまでこだわられた形状こその問題があると。
実際に、当時プロトタイプをつくった木地師さんからも、量産することは不可能と断られてしまって。同じような作業ができる別の職人さんにおつなぎして、なんとか製作をスタートすることができました。

ーどのように進められたのですか？

漆器づくりは分業なので、漆を塗る塗師である私の他に、丸いお腕を彫る木地師、高台の切り込みなど細かな細工を施す細工師、そしてデザイナーの中島さんという4人での製作となりました。私以外の職人は初めての『hitowan』づくりでしたので、例えば高台の切り込みが上手くつくれず溜まった水が流れにくかったり、切り込みを作る際に漆を傷つけてしまったりしたんです。


ー繊細な作業だったんですね。

切り込みは幅が広すぎても不恰好になってしまうので、何度も調整を重ねました。機械を使うのですが手作業ではあるため、どうしても1mmずれたりしてしまいます。そこは漆を少し多めに塗るなど工夫することで、形にしていきました。

一職人さんとナオさんとの、目線を合わせることも大変そうです。

それはもう。職人さんって良いものをつくるために「これはできない」など譲らない部分も多いのですが、対する中島さんも一切譲らない。そうそう、今でも良く覚えているエピソードがあります。


一ぜひ教えてください。

漆は「塗りっぱなし」という技法で塗っているのですが、乾かす工程でどうしても細かな塵が入ってしまうことがあるんですよね。最初の納品時に、良品だけをお渡しできるようにこちらでも研磨したり検品したりして中島さんにお届けしたのですが、ほとんど全部がダメですと返って来てしまって（笑）。


一ほとんど全部！

「これでは売り物になりません」と、ミクロの単位で塵を見つけられて。いやいや中島さん、それは製品上問題無いのと、漆の製法上ある程度避けられないものなんですよとお伝えして説得しました。それでも、「口に当たる部分だけはどうしても直して欲しい」と、譲らなかったですね。


一他には、素材についてもこだわられたと聞いています。

はい。漆は日本産のものを使いたいと。漆は下塗り、中塗り、上塗りと分けて塗るのですが、一般的な漆のお椀は下から上まで99%が中国産の漆を使用しているんです。比べると、日本の漆は肉薄でお椀の形がシャープに現れる特徴があるので、『hitowan』では上塗りだけでも、と日本産を使用することにしました。


一機能だけでなく、フォルムも非常に美しいですよね。

他に大変だったのは、販売価格の調整ですね。漆器はとにかく手間がかかるので、その上での適正価格を提案したのですが、「不安です」と。たくさんの人に届けたいから、もっとリーズナブルにしたいと。ここでも譲らなかったんですよ。


一いくら良いものでも、価格が高すぎると届かないと。

私も漆器を扱う者として譲れず、特に『hitowan』は独特な仕様でしたので、何度も説得しましたね。結局、中島さんの希望する価格になりましたけど（笑）。


一冨樫さんから見て、ナオさんのものづくりのすごみはどこにあると思われますか？

中島さんが特別なのは、諦めない所ですよ。普通だったら、職人さんに「こうした方がいい」「それは難しい」と言われると、プロがそう言うのだからと折れることが多いんです。でも中島さんは、全然そうはならない。「なんとかやってください」と、最後まで貫くんです。


一その想いに周りも突き動かされると、他の方からも聞いています。

そうですね。職人は元々頼まれた方の想いに100%応えたいという気持ちが強くあって、難しいオーダーにも「なんかここが上手くいかねぇんだよな」とか言いながら、どこか楽しそうにつくっていましたね。

一そんな試行錯誤を通して、『hitowan』には、ナオさんの想いだけではなく職人の皆さんの想いも詰まっているということですね。
はい。大変だったからこそ、思い出もたくさんあります。一切の妥協がないお椀ですので、たくさんの方に届くと良いなと願っています。

使い手の声

あなたにとって『hitowan』とは？

30歳の誕生日に、記念になるものが欲しくて購入しました。枯らしの期間を経て、ちょうど娘の生後100日とタイミングが重なったので、初めての使用はお食い初めで。『hitowan』の、柔らかでとろけるような口当たりに感動しました。私にとっても娘にとっても大切な日に、特別なお椀を使えて嬉しかったです。（30代女性）

我が家は、温かい汁とごはんが定番。よく作るのは、けんちん汁や豚汁。ふーっと冷まさなくても、すっと口に含める温かさの汁を注ぎます。具沢山の汁が『hitowan』のなかで豊かなごちそうになります。手に持った時の変わらないぬくもりと朱い色はなぜか少し背筋が伸びます。洗う時はどの食器より1番に優しく洗って、少し斜めに伏せて重ねずに一つずつ置きます。自然に乾いていきます。戸棚にも、一つずつ上に向けて置きます。そうやって、4年以上毎日使っています。（70代男性）

もう3年くらい夫と使っています。高価なお椀を買ったのは初めてです。正直、お椀でそんなに違うのかと『hitowan』を手にするまでは思っていましたが、全然違いました。

定番は朝の味噌汁（うちはパンのときもあるので週3～4回）。たまに鍋でも使います。美しいたたずまい、手のひらになじむきめ細やかな手触り、適度な重みと唇に触れる厚さと滑らかさ、口縁を斜めにした工夫で吸い込む出汁の香りがいっそう立っておいしい。五感がくすぐられ質素な食事も滋味深くなります。高台の切り込みのおかげで、洗った後の水たまりストレスとも無縁。いい物は使うほど我が家に馴染んでくるんですね。夫も大好きです。これからも使い続けたいと思っているので扱いも自然と丁寧に。ただし不測の事態のための予備を赤黒ペアで注文しています。

（50代女性）

イラスト：柴田賢蔵

delete C

みんなの力で、
がんを治せる病気にするプロジェクト

Brand Message

「がんを治せる病気にしたい」

そのシンプルで強い想いから、『deleteC』のすべては始まりました。

毎年あらたに 100 万人以上ががんと診断され、毎年 37 万人もの人ががんによって命を落とし、生涯で 2 人に 1 人ががんになるといわれています。

こうした数字を目の前にすると、その問題の大きさに、足がすくむ気持ちになります。いったい自分になにができるのだろう、と。

でも、絶対に「あきらめたくない」と思いました。

がん治療研究は日々進んでいます。その研究の一つひとつが、希望の種です。治療研究が進めば、がんが治る病気になる日が確実に近づきます。

だから、自分たちにできることとして、がん治療研究を“応援”し続けることを決めました。

『deleteC』は、これまでがんという問題に対して関われなかった個人、企業、さまざまな立場の人たちをつなぎ、誰もが参加できて、みんなでがん治療研究を応援できる仕組みをつくります。

その応援の輪が広がり、大きな力になった分だけ、「がんを治せる病気にする」という新しい未来を手繰り寄せることができると信じています。

ふだんの暮らしの中で、誰もが
がん治療研究を応援できるしくみ

01 販売・提供

企業・団体がロゴや商品から、Cancer（キャンサー）の頭文字である「C」の文字を消したり、コンセプトカラーのマゼンタ色に染めてコラボした商品・サービスを提供・販売します。

02 購入・利用

『deleteC』プロジェクトの商品を購入したり、サービスの利用をします。

03 寄付

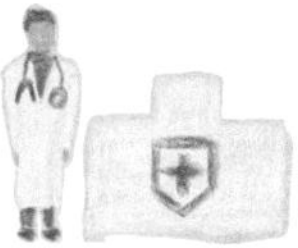

毎年、商品やサービスの売り上げの一部が、がんの治療研究を行う医師や研究者、研究機関に対して寄付されます（個人の方からの寄付も含む）。

04 発信（啓発）

寄付先であるがん治療研究に関する情報コンテンツを制作し、世の中に発信することで、寄付への透明性を追求し、「応援の輪」を広げていきます。

「誰もが参加できる」デザインアクションを通して寄付・発信を行い、がん治療研究を応援

deleteC の
誕生裏話 01

ロゴにまつわる話

プロジェクト始動当初のロゴ

deleteC
delete cancer Project

プロジェクトの始動を発表した当初は、中島ナオの手書き文字をロゴとして使用していました。

現在のロゴ

delete C
みんなの力で、がんを治せる病気にするプロジェクト

現在のロゴのCを消すラインは、中島ナオの直筆から起こしたラインを使っています。

『deleteC』のロゴには、誰もがわかりやすく、多くの人にこのアクション、『deleteC』の活動が広まっていくように。という願いが込められています。「C」を消すというアクションをロゴで可視化し、さまざまなシーンに馴染みやすく、みんなが真似をしやすいものとなっています。

C（Cancer＝がんという病気）が消えたあとに、何が残るのか？ 多くの人が前向きに捉えられるよう、難しさや重々しさを感じさせないポジティブなイメージを大切に、デザイナーの徳田さんに何度も何度も相談して、様々なパターンを出し合い検討して形になりました。

構想時のラフスケッチ

現在のロゴやプロジェクト始動時のロゴに至る前、『deleteC』の構想段階で中島ナオが描いたロゴのイメージラフ。「N HEAD WEAR」やパソコンのdeleteキー、クッキーなどがモチーフになっている。

deleteC の
誕生裏話 02

あかるく かるく やわらかく

deleteCが大切にしている価値観

1.“エソラゴト”を本気でカタチにする
2.“素人”の違和感を面倒くさがらない
3.課題の先にある”希望の種”をつくる
4.人生の20%をかけるくらいがちょうど良い
5.“あかるく かるく やわらかく”

「がん」のイメージを変えていきたい。「くらいものをあかるく、おもいものをかるく、かたいものをやわらかく」表現し、みんなと進めたら、どこまでも楽しくやっていけると思いました。当初から大事にしていた姿勢でしたが、自然と『deleteC』の大切な価値観になっていきました。

deleteC の
誕生裏話 03

マゼンタの色

2019 年 5 月 11 日のイベントで、参加者のみなさんと思い思いに “C” を消そうという取り組みをした時のこと。「ペンの色にもこだわりたい！ ただのピンクじゃなくて、マゼンタ色のものを」と大型文具店へ行き、筆記用具コーナーでピンク系統のペンを全て購入しました。紙に一色ずつ線を引き、コンセプトカラーと照らし合わせながら選んでいきました。

「これでないといけない理由」をはっきりさせないと納得できない。確信が持てないものは世に出すべきではない。そんな信念やこだわりを常に持っていました。

「“C” を消す」という強い印象をどのように和らげられるか、コンセプトカラーは黒や青など様々な色で検証しました。最終的には、強い意思を感じられ、目に留まる「マゼンタ」を使うことに決まりました。

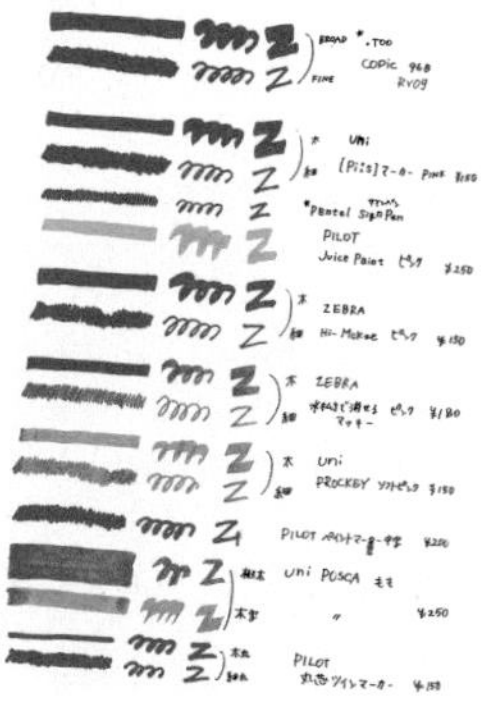

中島ナオとdeleteCの活動年表

2018年

11月2日

アメリカの MD Anderson Cancer Center でがん研究をしている上野直人医師との出会いがきっかけ。小国さんと話している時にアイデアが生まれました。

当初は「Cプロジェクト」と呼んでいました！

2019年

2月4日

「ワールドキャンサーデー」に合わせてキックオフイベントを開催しました。この日は、手書きのロゴでお披露目しました（初期のロゴ）。『deleteC』を立ち上げるためにクラウドファンディングスタート！

2月4日に発表できるように
ロゴをたくさん考えました！

2月27日

クラウドファンディング
目標達成

5月11日

「deleteC 先行プレミアム体験会」

新しいロゴデザインや『deleteC』の仕組みを体験していただきました。当日は 137 名の皆様が足を運んでくださり、賛同してくれた企業・団体の皆さんと一緒に『deleteC』の目指す世界観を初めて体験しました。

9月5日

この日が 37 歳の誕生日！
仲間がくれた寄せ書きは宝物

特定非営利活動法人deleteC 設立

社員 10 名、ボランティア 11 名で活動が本格的にスタートしました。

登記の手続きなど大変だったけど専門家に助けてもらいながら無事に法人化！

9月26日

はじめてのがん治療研究の公募がスタート！たくさんの医師・研究者に話をしに行きました。『deleteC』の寄付対象となる、がん治療研究の公募です。

たくさんの仲間が増えて、『deleteC』の活動はどんどん広がっています。がん治療研究が1日でも早く進めば、治らなかったがんが、治る病気になるはず！

2021年 | 2020年

1月30日 ｜ 9月5日 ｜ 2月1日 ｜ 1月18日 ｜ 12月10日 ｜ 10月20日

「deleteC 2021 -HOPE-」

この年はリモートでの開催。AI さんの歌「HOPE」のお披露目と共に、「治療薬」と「リサーチナース」の研究に総額 300 万円の寄付をしました！岡田武史さんをはじめ、アスリートの皆さんが参加するチャリティーオークションを実施しました。

「いいねの募金」と「HOPE オークション 2021」でがん治療研究者に寄付とエールを送りました！

9,000 件超の投稿・100 万回以上のリアクションが行われ、総額 225 万円ががん治療研究への寄付金として集まりました！

「#deleteC 大作戦」「deleteC GIFT BOX」

画像や動画を「#deleteC 大作戦」をつけて SNS に投稿したり、企業の投稿を拡散するとがん治療の応援につながったりするという企画を実施！

「deleteC 2020 -HOPE-」

公募で集まったがん研究の中から「小児がん」と「子宮頸がん」の研究に総額 200 万円の寄付をしました。初めての寄付！

「deleteC 2020 -HOPE- 」開催に向けてのクラウドファンディングを実施。

秩父宮ラグビー場にて「deleteCマッチ」

雨が降っていて寒い日でしたが、ラグビー選手や仲間のみんなと募金呼びかけを頑張りました。

「deleteC 本格始動！Meet Up Event」

法人化のお披露目。丸の内 15 丁目プロジェクト × deleteC「SCRUM! MARUNOUCHI」初めてのコラボレーションイベントを行いました。

C.C. レモンとのコラボが実現！みんなと一緒に「乾杯！」できて嬉しかったです。

「deleteC 2021 -HOPE-」にて語られた、中島ナオにとっての『deleteC』

私はがんになり、全然大丈夫って言えない、と感じる場面ばかりだったので、今を変えていきたいと思いました。

もっと負担にならない治療体制にしていこうという動きがあったり、5 年前に受けられなかった治療が受けられたり、生活の変化や治療の進歩を肌で感じているからこそ、数年後、10 年後の希望の種を全力で応援していきたいと思うことができました。
辛さとともに医療の進歩も感じているからこそ、みんなで手繰り寄せたいと思いました。

もっとすごいスピードで進みたいけど、アイデアが生まれて 2 年でここまで来ました。

もっと大きなものにしたいけど、こんなにたくさんの応援を今日集めることが叶っています。それは今、一人ひとり、みなさんがいてくださるからです。

これからもそれぞれの「#whydeleteC」でアクションし続けてください。そして、一緒にどんどん手繰り寄せていきましょう。

#whydeleteC：『deleteC』を応援する理由

delete
delete
delete
2020
delete
delete
RUGBY
RUGBY
EAGLES

対談

がんを治せる病気にしたい、そんな未来へ伴走し続ける２人の物語

私と一緒に見てくれた夢を現実のものにするために、多くの困難を越えて駆け抜けてきた人がいます。それが、『deleteC』共同代表理事である小国士朗さんです。『deleteC』という希望について語られた、２人の特別な時間をここに記します。

彼女の流儀は、「キラキラした変な大人」

小国士朗（以下小国）：ナオちゃんの第一印象は、とにかく「圧が強い」。ガンガン来る人だなっていうものでした（笑）。

中島ナオ（以下ナオ）：小国さんがスピーカーをされていた勉強会で、名刺交換させていただいたのが最初ですよね。

小国：勉強会が終わった後にバーっと前に出てきて。「私の話を聞いてください！」みたいな。その場面は妙に印象に残ってます。

ナオ：その勉強会で、小国さんがディレクターをされていた『プロフェッショナル 仕事の流儀』にならって、自分の流儀をつくるといった課題があったんです。

小国：あぁ、そうでしたっけ。

ナオ：その当時は自分がプロフェッショナルだとは全く思っていなくて、どんな流儀にしようかなって悩んだんですけど。考えた結果、直前の教育実習で出会った学生たちから見て、「なんだか楽しそう」とか「変な人がいたな」とか、どこか記憶に引っかかることができたらいいなあと思って、『キラキラした変な大人』という流儀にしたんです。

小国：あはは、ナオちゃんらしい。元々僕自身、NHKでディレクターとして

deleteC 代表

小国士朗

『プロフェッショナル 仕事の流儀』っていう番組をつくっていたんですけど、プロフェッショナルという存在は、キラキラした肩書きを持つスーパースターだけを指すわけじゃないよね、という気持ちが強かったんです。

ナオ：うんうん。

小国：いろいろな場所にプロフェッショナルはいるし、自分の中にも、自分が気付いていないだけで、素敵なプロフェッショナル性はあるだろうと。

ナオ：なるほど。

小国：当時つくっていた『プロフェッショナル 仕事の流儀』のアプリ（※1）のコンセプトは『誰もが、プロフェッショナルになれる』というもので、まさにナオちゃんの流儀とか知れたらすごくいいなって思いますよね。

ナオ：小国さんはNHKにいる時にご病気をなさって、局内でも仕事をガラッと変えたり新しくつくったりされていて。それは、私にとって未来を考える上でのヒントがちりばめられているように思えたんです。

小国：僕の場合は心臓病でしたけど、病気を抱えながら働く中で、医師から止められて番組をつくれなくなってしまいました。番組をつくれないディレクターって何のためにいるのかなって、さすがに3ヶ月くらい沈んでしまい。

ナオ：そこで考え方を変えられたんですよね。

小国：番組をつくらないディレクターになろうと。番組を「つくれない」ではなくて、「つくらない」。たった一文字の違いなんですけど、そこには僕なりの強い意思をこめています。その一文字の意思で、次の行動が大きく変わる。番組をつくらないディレクターになるって決意をして、テレビ番組以外の方法で情報や価値を広く届ける仕事をつくろうと、アプリをつくったのもそんな理由だったんですよね。

ナオ：勉強会の後に連絡して、後日お会いできることになって。

小国：それで当日、NHKの受付に迎えに行ったら大きなキャリーバッグを持った人がいて。一体これから何が始まるんだろうってドキドキしました。

ナオ：バッグにいろいろ詰め込んでいきました（笑）。食堂で4時間も話したんですよね。

小国：その時に、「一週間前にがんのステージ4になった」という話も聞かされたんですよね。ほぼ初対面でそんな話されたら、普通引きますよね。「おぉ、そんな話しちゃいます?」って。ただ、僕はがんに対する知識もほとんどなくって、ステージ4って何となくまずい状況なのかなってくらいで。

ナオ：治療が始まるけど、それと同時にやりたいこともたくさんあるって話をしました。

小国：それで一通り聞いた後にやっと、バッグの中から『hitowan』が出てきたんですよね。で、これいいじゃん！って。

ナオ：そういうの早く出してよ！って言ってましたよね。

小国：普段からお皿洗いの時にお椀の裏に貯まる水が無駄だなと思っていて。『hitowan』だと切れ目から水が自然に切れるようになっている。ちょっとした工夫なんですけど、そこから生み出される世界がとっても優しくて温かい感じがしたんですよね。

ナオ：商品化の段階でつまずいていたのですが、小国さんがクラウドファンディングやったらいいじゃんって言ってくれたんです。そんなこと少しも想像していなかったことだけど、小国さんも応援してくれるって言ってるし、やろうかなあと。

小国：今思い返すと、その時から始まってたんだね。

「がんの中島ナオ」ではなくて、「中島ナオががんである」ということ

小国：今までナオちゃんに言ってなかったと思うんですけど、ほぼ初対面で4時間話している中で、「この人の伴走をするのって単純に面白いかも」って思ったんですよね、直感的に。

ナオ：えぇ、それは初めて聞きました！

小国：ナオちゃんの説明を聞いていてもよくわからないことが多かったんだけど（笑）、とにかくやりたいことがたくさんあって。9割くらいは引いていたんだけど、1割くらいはこの人の人生ってなんだか面白そうだなって思ったんです。

ナオ：そうだったんですね。

小国：明るいというか、軽やかというか、変わらないという感じ。がんであろうとなかろうと、この人はこういう人なんだろうなと。「ああ、この人は面白いかも」って思ったことを覚えています。

ナオ：今私も面白い話を思い出した！

小国：なになに？

ナオ：『hitowan』を応援すると言ってくれた後に、「俺がプロデュースするから」って小国さんが言ってくれたんですよ。それを家に帰って家族に伝えたら、「それって小室哲哉みたいなこと?」って驚かれました（笑）。小国さんの業界では当たり前なのかもしれないけど、プロデュースって響きが新しくて。

小国：何だそれ……。僕は普通の感覚で言ってただけなんだけど。

ナオ：そうですよね、でもなぜか印象に残ってます。それともう一つ覚えているのが、『注文をまちがえる料理店』（※2）の構想もその日にお聞きしたことで。

小国：ちょうどそのタイミングで動き出していたんですよね。認知症の状態にある人たちが働くレストランで、最初のうちは不謹慎だとか、笑いものにしているとか言われたりもしたんですけど。

ナオ：そのプレオープンに、呼んでいただいたんですよね。

小国：そうそう。呼べたのは限られた人数だったんですけど、ナオちゃんには見てもらいたいと思ったんです。

ナオ：なんでだったんですかね。

小国：それは、話を聞いていた『N HEAD WEAR』と『注文をまちがえる料理店』の実現したい世界がわりと近いと感じていたからかもしれないです。髪があってもなくても、っていう『N HEAD WEAR』の発想は、認知症があってもなくても、注文を間違えても間違えなくても、受け入れたら違いなんてなくなるっていう発想と通じるものがあると思ったんです。

ナオ：それは私も同じ考えで、がんも認知症も、その人の要素としてプラスされているものというだけであって、その人自体は何も変わらないということをずっと思っていました。「がんの中島ナオ」ではなくて、「中島ナオががんである」ということなので。

小国：本当にそうだよね。

ナオ：メディアでの扱いや描かれ方など、疑いすらしていないことをひっくり返すのが、全て「がんをデザインする」につながるって考えているんです。一つひとつは小さなことなんですけど、その全てに向き合って、変えようとしてきました。

自分が何者であるかという、〝名刺〟をつくる

ナオ：『hitowan』や『N HEAD WEAR』を通して取材されることも増える中で、葛藤もあって。悩んだ時はいつも小国さんに連絡して、アドバイスをもらいましたよね。

小国：「取材のされ方に少し違和感があるんです」とか、ナオちゃんからめちゃくちゃ長いメッセージが突然ばーっと送られてくるんです。「取材に一緒に来てください」みたいな、普通だったら遠慮するだろって思うところも、お願いしますって軽々と乗り越えてくる……。末っ子だからかなぁ。

ナオ：真ん中ですよ！（笑）取材ではがん患者としての扱われ方がどうしても色濃くなってしまうので、それを受けていいのか、受ける場合にはどこまで想いを示していいのか……とか。

小国：取材の中での一つひとつの受け答えも、最初は「想い先行」になってしまって、ナオちゃんの中で空回りしている感覚があったのかなと思って見ていました。ナオちゃんが手掛けるプロダクトの中にある、もっと大切なメッセージが届けきれない、というもどかしさですよね。でも、そのメッセージの届け方は『deleteC』を立ち上げてからは、加速度的にどんどんシャープに磨かれていったんですけど。

ナオ：それで、『deleteC』では、話す内容もそうだけど、誰が話すかも大事だよってことで、活動を始めて最初の1年くらいは「〝名刺〟を早くつくろう」って話してましたよね。

小国：そうそう。僕は、NHK時代に病気になって番組がつくれなくなって、一度何者でもない人間になりました。で、そのあとは「番組をつくらないディレクター」という、いったい何者なのか、何がしたいのか、もうわけがわからない人

間になるわけですけど(笑)、そんな時に、早くみんなに自分が何者かを理解してもらうために、『プロフェッショナル 仕事の流儀』のアプリだったり、『注文をまちがえる料理店』だったり、まずは〝名刺〟がわりになるものをつくろうとしたんですよね。
ナオ：本当にその通りで、『deleteC』についてはやりたいこともイメージもあるけど、具体的に「これぞ deleteC！」という〝名刺〟がないから誰も話を聞いてくれないことが続きました。
小国：何者でもない時期の悔しさって結構苦しいですよね。でも、いつまでも見られ方や扱われ方が変わらないのは、自分たちに力がないからだって話して。だから、「ナオちゃんが安室ちゃんになればいいんだよ」って。ナオちゃんが安室奈美恵だったら、いろんな人が話をふんふんって聞いてくれるよって(笑)。
ナオ：そうそう、「安室ちゃんになりたい！」って話して。新聞記事で不本意な見え方になった時があって、それが悔しくて、確かＮＨＫから渋谷駅までの帰り道で、そんな話をしたんですよね。
小国：自分たちはまだまだ駆け出しのインディーズバンドなんだ、って。だから早く何者かになって、ちゃんと僕たちの声や話に耳を傾けてもらえるように、どんどん描いている世界を実現していかなければいけなかったんですよね。
ナオ：この数年間で、少しずつ名刺がつくれてきたと思います。
小国：そうですよね。今日なんてナオちゃんが日経新聞に出てたもんね！ ビジネスのど真ん中を伝える新聞に、一番縁遠いかもしれない人がデカデカと載っている（笑）。本当にすごいことだよね。

私たちがいなくても、ずっと続く活動に

小国：『deleteC』が生まれた日だから覚えているんですけど、２０１８年の11月2日に、ナオちゃんから渋谷のカフェに呼び出されたんですよね。
ナオ：はい、呼び出しました(笑)。そこで、「がんを治せる病気にしたいんです」って、話しました。
小国：それは、僕が一番言ってほしくないと思っていた、とっても困る言葉だったんです。もちろん、その思いはなんとなくは気づいていましたけど、医師や研究者ではない自分が手を出せるものではないと思っていましたから。
ナオ：活動を続ける中で想いが溢れて、小国さんに聞いて欲しかった。『N HEAD WEAR』も形になって、ＱＯＬ(Quality Of Life：生活の質）を保てるものはつく

れても、死に至る病気であるという部分は変えられていなくて。やはりそこを変えなければいけない、向き合いたいと思ったんです。

小国：ナオちゃんに2年くらい伴走する中で、いよいよその時が来ちゃった、やべえなという気持ちが半分。一方で、もう半分はよくわかるというか、やっぱりそこいくよねという気持ちでした。僕に何ができるかはまったくわからないけど、ひとまず話してみようかって。

ナオ：それで、がんの当事者であってもなくても、思わず参加したくなったり笑いながら見守ったり、そんな活動ができればいいねって話をしていたんですよね。

小国：著名人の力や莫大なお金がないとできない、というものではなくて、誰もが気軽に参加できて、サステナブルに支援を集められるアイデアを……って感じていたんですけど、そんなアイデアいきなり出るわけなくって。うんうんと悩んでいたんです。

ナオ：その時に、私が最近会った『MD Anderson Cancer Center』という、アメリカで研究しているがんの専門医師の上野先生の名刺を、何気なく小国さんに見せたんですよね。

小国：名刺を見た時に、これだ！と。「C」を消そうと。その瞬間、完全に降りてきた。

ナオ：その瞬間は映画の一場面みたいで。小国さんが急に上を向いて黙ったんですよ。その後の興奮も含めて、ものすごくスペシャルな時間でした。

小国：頭の中で一気に仕組みが組みあがったんです。これはきっといける、だってちゃんとエンターテインメントになってるし、って。

ナオ：カフェの人に迷惑なくらい、どのCを消そうかって2人で盛り上がりすぎてしまいましたよね。

小国：結局のところ、『deleteC』はあの時の興奮が原点で、それが今も自分が続けている理由なんじゃないかなという気がします。その時に初めて、「自分にできることが見つかった」って心から思えたんです。

ナオ：その後、医療や薬学に精通する長井陽子さんを加えた3人で『deleteC』をスタートさせてから、クリエイティブも決めていきましたよね。行動指針となっている「あかるく、かるく、やわらかく」も、その中で生まれた言葉でした。

小国：ナオちゃんが言い出したその言葉は、僕はものすごい〝発明〟だったと思っていて。どうしても「くらく、おもく、かたく」なってしまうがんのイメージをひっくり返せる、すごい言葉だなと思いました。

ナオ：先入観にとらわれてしまう中で、それを変えられる言葉になりました。

小国：『deleteC』の精神、魂の部分はナオちゃんがつくっているので、それがナオちゃんの言葉として出てきたのは大きかったと思います。アイデアを実現させるために、たくさん企業を回りましたよね。ひたすら断られ続けましたけど。

ナオ：最初に受けてくれたイケウチオーガニックさんまで、何十社も回りましたね。

小国：医療従事者の方に『deleteC』のアイデアを話した時も、とても厳しい表情で「私は医師だから中島さんの置かれている状況はわかります」と。もしものことがあったらどうするんですか、解散するんですか？と聞かれました。

ナオ：「あなたたち本気ですか？」って。

小国：もちろん本気ですと、即答したんだけど。

ナオ：私が即答できる答えではなかったから。小国さんがそう答えてくれて、すごく、何だろうな、心の中に強いものを持つことができた日でした。

小国：そうやって先生が真剣に向き合って、問いかけてくれた時に、僕がいなくなっても、ナオちゃんがいなくなっても、ずっと続く『deleteC』にしようって改めて思ったんですよね。

「会えてよかった」

ナオ：最初は絵空事って言われ続けたけど、『deleteC』の不思議なところって、青春みたいなんですよ。それで一つひとつがつながって、現実に叶っていく。よく、大河ドラマみたいと話してましたよね。

小国：本当に、無我夢中という言葉の通りで、夢の中にいるような感覚があります。必死で走ってきたら、描いていた絵空事が本当に実現していく。もちろんまだまだ世の中の風景を変えられていないわけですから、何一つ偉そうに言えることはないんですけど。でも、今は小さいかもしれないけど、『deleteC』がアポロ計画のように大きな一歩になって欲しいなってずっと思っているんですよね。

ナオ：これからは、どうしていきましょうか。

小国：まずひとつに、『deleteC』を文化にしたいと思っています。ハロウィンとかエイプリルフールとか、そういう感覚のものに近くて、9月のがん征圧月間や2月のワールドキャンサーデーのタイミングで、「あー、9月といえば『deleteC』だよね」って普通に言われるくらい、『deleteC』が根付くようにしたいです。

ナオ：そうですね。

小国：もうひとつが、趣味『deleteC』。そもそも僕も含めてみんな、好きだから、面白いと思うからやっている人が多い活動なので、それと同じくらい、多くの人が普段の暮らしの中でもっともっと軽やかに関わることのできるものにしていきたいなと思います。履歴書とかの『趣味』のところに『deleteC』って書いてもらえるようになったら最高です。

ナオ：私も、『deleteC』の活動を楽しんだ先で、自然と世界が変わっていってくれたらと思う。単純に面白いと思うことだったり、枠をどんどん取り払ったりした先に、がんを治せる世界を広げていきたいなという希望があります。

小国：そうですよね、笑いながら僕たちは革命する！ みたいな。『deleteC』は100億円を集めることを目的としていなくて、それだったら1億人が趣味として持ってくれた方が、「がんを治せる病気にする」近道だと考えてるんですよね。

ナオ：これまでも緩やかに、でもすごいスピードで進んで来ましたよね。そして今ではたくさんの方に関わってもらえる活動になりました。

小国：100社近い企業が参加してくれるようになって、アーティストやアスリートも加わって、楽しんで参加してくれる人たちがどんどん増えてきました。そして誰よりも応援してくれているのが、あの時に厳しい言葉をくれた医療従事者の先生たちなんですよね。

ナオ：とても大きな期待を寄せてくれていますよね！ 運営側として動いてくれるメンバーも増えてきました。

小国：そうですよね。ナオちゃんは「あかるく、かるく、やわらかく」を誰よりも体現していて、今では自然に周りが巻き込まれてしまう。本当に、『キラキラした変な大人』だなあって思います。

ナオ：ありがとうございます。あの時と変わらないですね。

小国：そういえば、僕って知り合ってから一度も、ナオちゃんに同情はもちろん、励ましたこともないかもしれませんね。

ナオ：「頑張ってね」じゃなくて、「頑張ろう」っていつも言いますよね。

小国：そう。同志だから、変に励ます必要がないんですよね。がんだからとかは関係なく、みんな時間の価値は平等で、この1分1秒を精一杯生きているのは同じだから。

ナオ：私もそう思います。

小国：改めて振り返っても、『deleteC』はこの3人で始めることができて、良かったと思っています。

ナオ：私にとって小国さんはいつも自信をくれる存在で。『deleteC』の先行プレミアム体験会の時、誕生日の私にメンバーのみんなが寄せ書きを贈ってくれたじゃないですか。そこに小国さんが書いてくれた言葉、覚えていますか？

小国：全く覚えてない。多分ね、何を書くか相当悩んだとは思うんだけど……。

ナオ：「会えてよかった」って。

小国：それだけ？

ナオ：はい、そう書いてくれていて。とても嬉しい言葉でした。がんを背負ったことで人に会いづらいと感じていた時期もあったけれど、私がそれを怖がらなくなったのも、小国さんからもらった言葉やつながりがあったからです。私もこの場所にいて大丈夫なんだ、って思わせてくれたんです。

小国：その時書いたその言葉は、素直な言葉だったと思いますし、もちろん今もその思いは変わらないですね。

ナオ：お互いに、ですよね。

小国：それにしても、こうしてゆっくり話すのも、本当に久しぶりだったよね。

ナオ：久しぶりに小国さんとお話しできて嬉しかった、あっという間でした。私にとって大切な時間になりました。ありがとうございました。

※1 NHK「プロフェッショナル 仕事の流儀」番組10周年を記念して制作されたアプリ「プロフェッショナル 私の流儀」。誰でも簡単に「プロフェッショナル風オリジナルムービー」がつくれる。2017年12月31日をもって配信終了。

※2 2017年、小国士朗さんを発起人にスタート。認知症の理解促進と「間違えちゃったけど、まぁ、いいか」の気持ちを世界中に広げるために生まれた、認知症の方々がホールスタッフを務めるイベント型の料理店プロジェクト。

たくさんのステキな言葉を
ありがとう。

小国士朗

小国士朗（おぐに・しろう）

株式会社小国士朗事務所　代表取締役
2003 年 NHK に入局。ドキュメンタリー番組を制作するかたわら、150 万ダウンロードを記録したスマホアプリ「プロフェッショナル 私の流儀」の企画立案や世界 150 ヶ国に配信された、認知症の人がホールスタッフをつとめる「注文をまちがえる料理店」などをてがける。2018 年 6 月をもって NHK を退局し、現職。

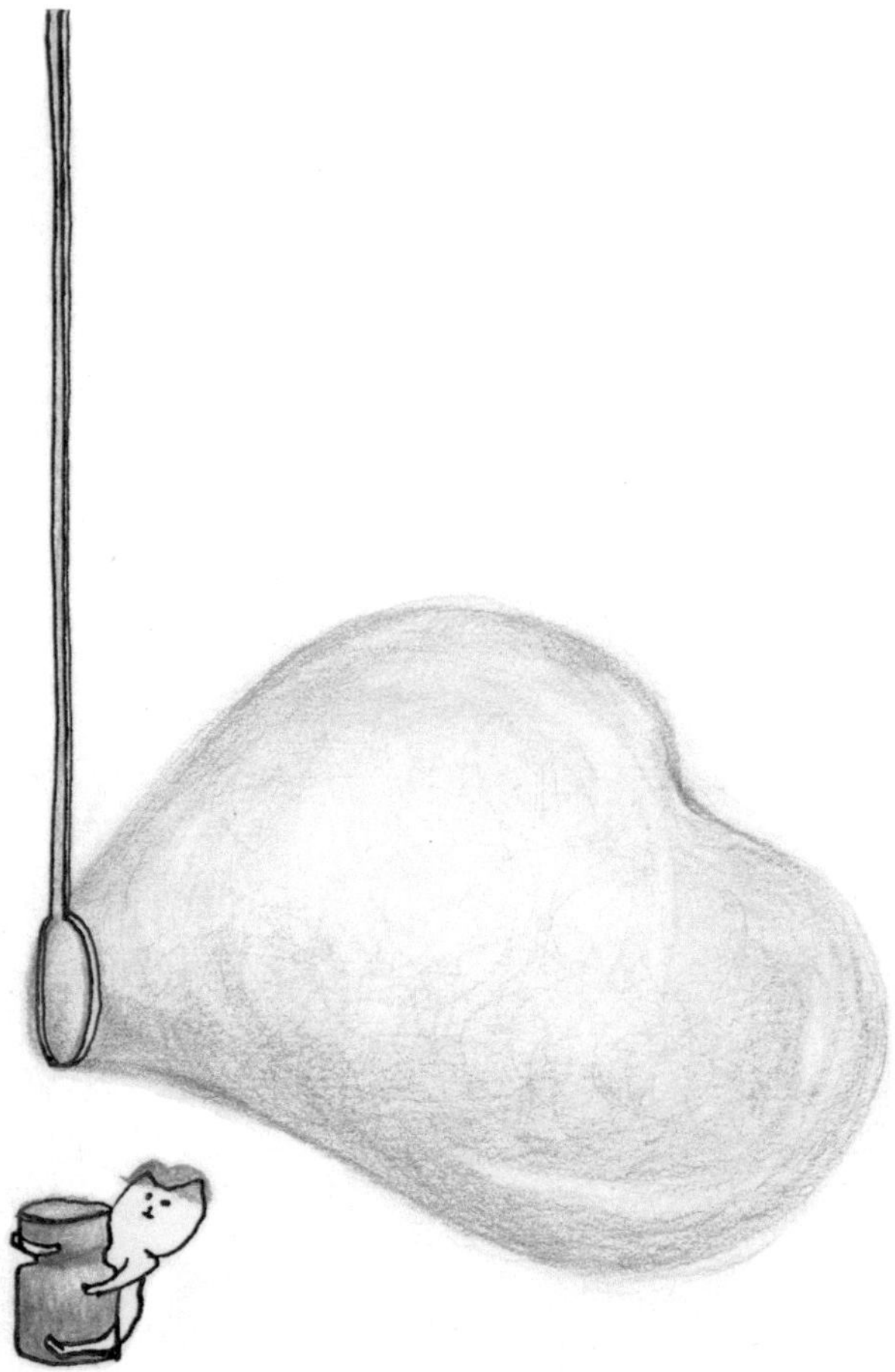

第4章　—　つなぐ

みんなとつないできた、これまで。
みんなとつないでいく、これから。

かけがえのないたくさんの関係性を、
ここに記しておこうと思います。

俳優
内田慈

対談

誰よりも長く隣で寄り添って、無理せずにいられる人

私の高校時代から今までの全部を知っている人がいます。親友であり俳優である内田慈さんから見た、中島ナオらしさとは何か。心を通わせる２人だからこそ実現した、自然体の対談をどうぞ。

無理をしないで柔らかく。
中島ナオの変わらないもの

内田慈（以下内田）：ナオは私にとって初めての親友で、ずっと関係が続いているよね。

中島ナオ（以下ナオ）：なんだかんだそうだね。高校が一緒で、仲良くなったのは高2の時だったかな。

内田：一緒だったダンス部はお互いすぐ辞めて、帰宅部時代の帰り道で毎日いろんな話をしたよね。

ナオ：そうそう！コンビニで「マロン&マロン」買ってね。

内田：懐かしい、食べたね〜！

ナオ：バイトの話とか、ファッションの話とかをいつまでもしてたなぁ。

内田：私は、ナオと親友になれたことがすっごく嬉しくて。毎日一緒に帰るのを楽しみにしていたんだけど、ナオはバイト先の仲間や中学の友達も大切にしていたから「今日はゴメン」なんて日もあって、嫉妬してたなぁ（笑）。

ナオ：そうだったね（笑）。チカにしかモテてないけどね。

内田：それで、私が立ち上げた器械体操愛好会にナオを誘ったんだよね。

ナオ：うん。結局その後誰も入ってく

器械体操愛好会の解散合宿にて

れなくて。バスケ部が使ってる体育館の隅で二人きりで柔軟体操だけしてたよね。でも、楽しかったな。

内田：でも二人だけでは活動の幅に限界があって、高2の夏に学校のプールで合宿的なことだけ最後にしてさ。その時のナオの水着が可愛くて。

ナオ：確かグレーで水色のデザインが入っている、ヒステリックグラマーの水着だったよね。

内田：そうそう。その水着だけじゃなくて、普段からナオは自分に似合ういろんな服を着ていた。当時から流行りに左右されない自分のスタイルを持っていたと思うんだよね。

ナオ：自分は自分の道を行く、という強い何かがあったとかではないんだけど、流行りとか無理してる服装は、自分には似合わないというのが何となくわかってたんじゃないかな。

内田：それこそ当時流行っていたルーズソックスを早々に切り上げてハイソックス方面に行ったりね。でも流行を否定するとかでは決してなくて、いろんなファッションがあっていいんだって話してたのが印象的で。

ナオ：ファッション同好会にも二人で

高３の遠足で食べたソフトクリーム

ルーズソックスの２人

入っていたよね。ファッションショーの時に、どんな服をつくったか覚えてる？

内田：私は水色と花柄のワンピースをつくったな。６０年代レトロをやりたかったの。でもお金もないし、持っていたブーツに白いボロ布を貼った謎ブーツをモデルに履いてもらって。

ナオ：私は浴衣の三尺帯を何枚かつなげたワンピースをつくった。思えばちゃんと服をつくったのは、あの時が初めてだったかもしれない。

内田：覚えてるなぁ。それでさ、さっきの流行の話もそうだけど、そんなナオを見続けてきて思うことがあって。

ナオ：えーなんだろう。

内田：ナオがすごいのは、昔からいろんな価値観を認めつつ、ずっと自分らしくぶれないところ。押し付けず、ちゃんと一人ひとり違うんだということをわかった上で、自分の色を出せるのがナオの魅力だって思うよ。

ナオ：そんな自覚はないけど、ありがとうね。

内田：あとは常に柔らかく楽しもうとするのは昔も今も変わらない。壁にぶつかって不安になることもあったと思うけど、ひょうひょうとニコニコしながら前を向く姿が素敵です。

三尺帯をつなげた初作品のワンピース（右）

ファッション同好会のファッションショー

病気があってもなくても、ちっとも変わらない二人

内田：そんなナオだから、進路も面白い選択をするとは思っていたんだけど、美大に行くって言い出すとは。絵を描くのが好きなのは知ってたけど、理系の大学に行くかもって言ったりしていてそんな素振りなかったし。しかも「生活にまつわるものや、生活自体もデザインしたい」って話してくれたけど、当時は意味がさっぱりわからなくて。
ナオ：その時から今と同じようなこと言ってたんだね。
内田：うん。そうやって既存のデザインの枠を広げていって、今やQOLデザイナーとして活躍しているんだから、本当にすごい。
ナオ：チカは私にとって特別で、無理をせずに一緒にいられるんだけど、表現とか知らない世界に触れさせてくれる人で。だから高校、大学を卒業した後も、チカの舞台にはよく足を運んだし、その度に会って話していたよね。
内田：絶えずマメに連絡を取ってきたわけじゃないけど、リズムが合うのかずっと続いてるね。
ナオ：会うといくらでも話せるもんね。その関係性は、病気が発覚した前も後も変わらないなあ。
内田：病気のことを教えてくれた時、最初は、「話したいことあるんだけど時間ない？」と言われて。
ナオ：うん。
内田：会ってから病気のことを聞いて、どんな風に受け止めたらいいのか、何を言ったらいいのかわからなくて。ただ話を聞くだけだった。
ナオ：その頃は病気が発覚してから少し時間が経っていたから、冷静に話していたと思う。
内田：うん。その時にナオの芯の強さを感じたよ。私もそれから自分なりに調べたりして色々考えたんだけど。でも、連絡を取る度に病気のことばかり聞くのも違う気がして、今まで通り「ナオと接する」ことを大切にした。
ナオ：本当にそうかも。人によっては会うたびに、「病気どうですか？」という会話があるけど、チカとは何も関係は変わらず、当たり前のやりとりをずっと続けてきているよね。
内田：高校生の頃から変わらなくて、ナオと話していると単純に楽しいし、どういうナオでも居てくれるだけでいい。一緒に居て感じることの中から、くだらないことも大切なこともお互い無理せず話してきたね。
ナオ：病気のあるなしにかかわらず関係性が何も変わらないのは、やっぱり特別な存在なんだと思う。
内田：病気があってもなくてもっていう意味ではさ。ナオのつくるものには、いろんな人が楽しめるようにとか、今まであった境界線をなくしてしまおうとかっていう価値観があるじゃない。そこに共感してもいるんだよね。
ナオ：ありがとう。チカにはずっと応援してもらっているよね。
内田：私も感じるけど、声に出して言いにくいような世界に対する違和感を、ナオが言葉や目に見えるものにしてくれていて。人の違いを肯定してあげられるナオに、やっと世間が追いついてきた感じがするな。
ナオ：チカには『IN HEAD WEAR』をサンプルの段階からかぶってもらったり、モデルとして一緒に撮影させてもらったりしたよね。
内田：あのモデル撮影はさ、確か当日に急にそんな話になって。
ナオ：そうそう。クラウドファンディング用の撮影が急に決まって。モデルは誰かなって考えた時に、真っ先にチカの顔

内田さんの初舞台にて

写真の専門学校生に声を掛けられ撮ってもらった一枚

ニジノ絵本屋にて、姉のいしいあやと3人で

「注文をまちがえる料理店」へ一緒に参加

が浮かんだんだよね。髪の毛があってもなくてもってコンセプトを考えた時に、やっぱりチカと写真を撮りたかった。

内田：元々会えたら会おうって約束はしてたんだけど、「え？撮影？」って（笑）。服もとりあえず持ってきてと言われて、急いで髪巻いて出かけた（笑）。

ナオ：急だったよね（笑）。寒かったけど河津桜が咲いていて綺麗だったなあ。

内田：撮影も楽しかった。その空気も映ってとても素敵な写真になって。でもきちんと使うなら事前に私の所属事務所への確認が必要だったから、あくまで遊びとして撮ったんだけど……当時のマネージャーに話したら、「是非ちゃんと関わろう」となって。ナオの話はよくしていたしね。

ナオ：今振り返ってみて、二人で写真を撮れたのも良かったし、あの写真と共に『IN HEAD WEAR』をスタートできて良かったなあと思ってる。それくらい大切な日で、本当に実現できて嬉しかった。

人生って日々いいもんだよねと、緩やかに寄り添う

内田：高校の時から言い続けてきたことが、今、QOLデザイナーとして思想や生活に関わるものをデザインすることで実現している。ここまでの道のりって時間もかかったと思うんだけど、その間不安になることってなかったの？

ナオ：どうなんだろうな。元々目指すものも明確に持っていないから、そういう意味で言うと不安って持ちようがないのかも。その時どきで考えて自分で行動しているけど、こういう人になるぞ、とかいつまでにこれを達成するぞ、とかがない。

内田：へぇ、面白い。

ナオ：不安に思うこともなくはないけど、逆に言えば今に満足することもなくて。きっとそんなことを高校の頃から積み重ねてきてるんだよね。

内田：そのタイミングで必要だと思うことをやってきたら、結果として今の形になってきたという感じ？

ナオ：そんな感じなのかもね。私にとって大きいのはやっぱり人とのご縁。人からのアドバイスと、自分の考えが合わさって、今の活動があると思ってる。

内田：なるほどね。

ナオ：私は一人でできることが多くないからこそ、誰よりもご縁を大切にしているのかもしれないね。実際にこれまでの活動で、誰かの力なしに形にできたものなんてひとつもないから。

内田：なんかナオらしいね。自分のこと

を無駄に卑下することもないし、大きく見せることもない。長い付き合いの中でも、人と自分を比べて揺らぐことがなかった。感情的にならずにいつもきちんと自分と向き合ってる。そんな自然体な強さが、みんなを引きつけて世の中を変えていく、求心力の素なんだと思うな。

ナオ：そんな風に見てくれているんだね。高校生の頃から今まで、長く近くにいたのがチカだもんね。寄り添ってくれていたんだなって。

内田：普段、面と向かって言わないから照れるね。それくらい当たり前にずっと一緒にいるし、日々いろんなことがあるけど人生いいもんだよねということを、ゆるゆると確認しあって今まで過ごしてきたから。

ナオ：本当に、ありがとうね。

内田：だから、私にとってのナオは、家族とも友達ともまた違う、特別で大切なパートナーだって思ってます。

ナオ：同じくです。隣にいていいんだって、当たり前に思える人。強く意識してはいないけど、10代の頃から関係を続けてこられてるのは本当に嬉しいことだなって思う。これまで二人が大切にしてきたものを、これからも守っていきたい。変わらずに、引き続きよろしくね。

ナオちんへ。


出逢ってから20年以上だって(笑)。

最初は中島さんとか呼んでたのかな？ウケるね(笑)。

基本は「ナオ」「チカ」だけど、ナオが「ねーねーチカちんさ〜」って呼ぶ時は私にもうつってさ。それは高校の時から変わんないね。


お互い変わったことは沢山あったけど、関係が変わらないのはほんと不思議だよね。変わって、変わらない。

唯一無二の存在です。


変わらないことのひとつに、話す中にいつも"平等ってなんだろうね、どうしたらいいんだろうね"ということが根底にあった。

ナオはそれをカタチにしたよね。

視点を多角的に持って、今ある概念を取り払って、違いを認めて面白がって、選択肢を増やすことで"平等"をデザインで、表現してきた。

ナオの作品は"必然"だから美しい。

日常＝人生をどう歩んでいきたいか？を大切に考える気持ちが圧倒的に背景にある。

芝居にも同じことが言えるなあと、ナオの作品に触れる度、刺激を受けて、伝えて、背中を押されてきた。


ナオちんの哲学が、これからも hitowan や N HEAD WEAR や canae や delete C を通じて たくさんの人に 伝わっていきますように。

あなたに出逢えたことは、私の、一生の自慢です。


チカちんより。

内田慈（うちだ・ちか）

1983年生まれ、神奈川県出身。日芸文芸学科中退後、演劇活動スタート。08年『ぐるりのこと。』でスクリーンデビュー。NHK E テレ「みいつけた！」でデテコイス等の声を長年務めるなど、舞台、映画、ドラマ、声優、ナレーションで幅広く活躍中。近年の主な出演作に、映画『レディ・トゥ・レディ』(W 主演)、舞台『散歩する侵略者』、ドラマ『半沢直樹』ほか。

あなたにとって、〝中島ナオ〟とは？

さまざまな人に囲まれ、愛されながら、駆けてきた中島ナオ。
中島ナオの印象は？ 魅力とは？ 関わりの深い人たちに聞きました。

このメッセージは、皆さんから2021年3月にいただいたものです。

ナオちゃんの生き様は

僕らのパワーの源。

一池内計司さん / ファン 、IKEUCHI ORGANIC 株式会社 代表

生き方がその人の表情や佇まいにあらわれると言いますがナオちゃんはまさにそういう方です。ナオちゃんを見ているとまぶしいです。笑顔って本当に輝くんだと知りました。そして現実を受け止めた上で前を向いて生きている姿が美しいです。
ナオちゃんができるだけ体がつらくない日々をたくさん過ごしてほしいです。そして私はナオちゃんとまだまだいっぱい一緒に同じ時を過ごしたいです。がんという病気の研究、治療が一歩ずつ前に進んでいきますように。

一工藤あゆみさん / 友人、美術作家

マイペースなのに**心の芯がしなやかで太い！**

やると決めたことは必ず貫くナオちゃんはいつも刺激的で、いつも元気をもらってます＾＾

一井深優子さん / 大学時代の友人、会社員

気さくに学生と接しているナオさん。自ら頭髪を失ったことを学生たちに伝え、その経験をもとに帽子のデザインを指導。「ファッションを、生きる力に」それが伝わる授業でした。いつも会うたびに驚かされるのは、じっとしていない、動いているナオさん。起業家・deleteC の立ち上げ、

ナオさんのそのパワーはどこからくるの。

とにかく笑顔が素晴らしいナオさん、大声で笑って、おかし食べて、またみんなで研究室でお茶しましょうね。私たちは、パワフルなナオちゃんの大大大ファンです。

ー肉丸美香子さん / 友人、杉野服飾大学 教授

ナオちゃんとの出会いは確か 21 歳の時。一緒にスウェーデンへの留学が決まった頃だったと思います。その頃は、ふわっとしたどこか抜けている印象だったのが、年月を経て、芯のある素敵な女性に変わっていってると感じてます。それは、**ナオちゃんに起こる１つひとつの出来事に、素直に強く柔らかく向き合って来てるからなのかな。**未だに会えば、くだらない話しかしてない様にも思いますが、伝え聴く活躍にいつも励まされています。

ー姉崎憲児さん / 大学時代の友人、福祉職員

果てしなく尊敬しています。もう 15 年以上の付き合いですが、昔から深い人生観を持ち、胸にストンと落ちる助言をサラッと言ってのける、お姉さんのような存在です。**「いろんな選択肢がある中でどれを選んだとしても、結局今に至った道が自分にとってベストなんだよ。」**進路に悩んだ 10 年以上前に言ってもらった言葉、今でもよく思い起こし励みにしています。

ー太田悠子さん / スウェーデン留学時代からの友人、ビジネスコンサルタント

中学時代＝純粋で天真爛漫な生徒。卒業後・再会後＝元気でいるか、気がかりな存在。現在＝**彼女の自然体で前向きな生き方に、こちらが元気をもらう存在**。彼女のライフ・デザインに、益々はまっています！

―本山早苗さん / 中学3年生の時の担任、恵泉女学園中学・高等学校 校長

かけがえのない素晴らしい経験を共に過ごした大切な友人です。何が一番大切なのかを、いつも真っ直ぐに、丁寧に伝えてくれました。
失うものが多い闘病生活の中、失った悲しみが見えないようにとプラスマイナスゼロになるように振る舞ってしまうことがあります。でも、ナオさんはゼロじゃなくて新たにプラスするという考えをもっていました。
自分に勇気が足りないとき、不安なとき、絶望のとき、どうしたいいかわからないとき。悲しみで欠けた穴であっても、どうしたらこの穴から目をそらさずに愛せるか、プラスに考えるようになりました。常に他人からの評価や報酬でしか自分の価値を見いだせなかった自分には、大きな転機になりました。
ナオさんはずっと私の希望であり続けます。

―長井陽子さん / 友人、Varinos株式会社取締役

中島は、デザインの与条件を見逃さない。

学部1年生のときの「蓋が汚れない分別しやすい蓋つきダストボックス」、学年の成果展「アカテン！」の企画立案、オフィス家具ナイキで受注販売した編成材の「ロビーチェア」、ヨーテボリ留学という機会、漆器「hitowan」、金融教育のカードゲーム、そしてその後の「N HEAD WEAR」「Canae」そして「deleteC」。デザインする中島が真正面から丁寧にとらえてきたモノ・コト・バ、そしてヒト。デザインの与条件を見つけ活かす中島の「デザインの哲学」と「デザイナーの良心」は心にしっかりと響く。

―鉄矢悦朗さん / 友人、東京学芸大学 教授、NPO東京学芸大こども未来研究所 副理事長

芯の強い眼力と屈託のない笑顔で、誰もが知らず知らずのうちに彼女の間合いに惹き込まれている。知的で好奇な情熱に満ちた強靭なる心の持ち主である。時に飄々とした姿を垣間見せながらも、常に自分に厳しく、常に人を優しく包み込む。人前では無邪気に振る舞いながらも、未知なるモノゴトに耳を傾けているに違いない。**「今」という大切な瞬間を全身で感受し、熟考を重ね、軽やかに社会へと還元し続けているデザイン活動家**。それがナオさんだ。

ー正木賢一さん / NPO同僚、東京学芸大学 准教授

数年前。ナオちゃんとの出会いの場面。その時の印象を今でも覚えています。自分はがん患者であること。治療によって髪が抜けて、同じような境遇で苦しんでいる方のために自らが帽子デザイナーになったという話。のちに「deleteC」の活動へと進んでいく原点。それは彼女自らが先頭に立って、想いの連鎖を信じ、社会の課題に真正面から向き合う姿。みんなが心打たれ、いつしか、ムーブメントの一員として共に歩みたいと思わせてくれる。**みんなが彼女に感謝している。勇気をもらっている。**僕も、もちろんその一人です。

ー村岡浩司さん / 友人、株式会社一平ホールディングス（九州パンケーキ）代表

ナオさんとは共通の友人を通じてご縁が始まりました。丁度、新しく会社を設立しようというタイミング、「N HEAD WEAR」をまさにこれから世に広めようという時期でした。それからと言えば、ナオさんは凹むことも止まることもなく、様々なアイデアを具体化し、ついには deleteC を設立。**華奢な身体のどこにそんなパワーがあるのか、そばで見ていて驚くほど。**
「ナオカケル」は、これからも様々な人や事と掛け算をして、希望や夢を叶えていくのだと思います。ナオカナウが沢山見られるよう、伴走者であり大ファンでいたいと思います。

ー大島洋子さん / 大島PR代表

清々しくて明るくてキラキラしていて、自分が恥ずかしくなるくらい。でも、**元気とやる気と、前向きになる気持ちを与えてくれます**。大切に時間を使って、もっと楽しまなくては、なにかまだ自分にできることがあるんじゃないか、そういったことを考えさせてくれます。
またそこに集まる人たちをつなげ、楽しい場もつくってくれます。次はなにをしましょう！

ー木寺紀雄さん / 友人、フォトグラファー

ナオさんの思いを必ず実現させる行動力に共感、尊敬です。N HEAD WEAR のブランディングデザインや中島ナオ公式サイトのデザインなどをサポートしています。伝統工芸やファッションなど、彼女のつくりだすデザインの品質やコンセプトに毎回驚いています。**困難な問題に背を向けず、笑顔で立ち向かう姿勢に多くの学びを得ています。**何より彼女の“命を輝かせる生き方”に脱帽です。

ー福島 治さん / ソーシャルアクションの同志、ソーシャルデザインを専門とするグラフィックデザイナー

第一印象は**笑顔がとってもチャーミング！**学生の頃からアクティブで気になる美術館や建築によく出かけていました。デザインすることが大好きでどの課題にも真剣に向き合い、悩みながらも楽しんでいるように見えました。話がとても面白く、聞いているとナオちゃんワールドに引きこまれます。
どんどん新しいことに挑戦する姿はキラキラ輝いていていつも私にパワーを分けてくれます。

ー平野 緑さん / 大学時代の友人、デザイナー

わたしたちとナオさん

スタッフ対談　ナオカケルで働く20代スタッフの２人から見た、すっぴんの中島ナオについて

ほーちゃん（やまうち・ほづき）

愛媛県出身。『N HEAD WEAR』の商談に偶然立ち会ったことがきっかけで、2018年末からナオカケルに参加。2019年3月から8ヶ月間、中島ナオと生活を共にしながら働く。現在は、愛媛にある実家の農園と兼業している。好きな食べ物はえび、うどん。

みのちゃん（まじま・みのり）

千葉県出身。『deleteC』の活動に携わったことがきっかけで、中島ナオからスカウトされる。大学 4 年生の 2019 年 10 月からナオカケルに参加。現在は、デザイン会社と兼業している。好きな食べ物はえび、昆布、お寿司。

イラスト：山内穂月

episode 01

不思議な出会い

ほーちゃん（以下ほ）：みのちゃんは、どうやってナオさんと出会ったん？

みのちゃん（以下み）：きっかけは、『deleteC』を知ったことからでした。私は当時大学4年生で、デザインの勉強をしていました。一緒に活動していた仲間に誘われて、『deleteC』のミーティングに参加させてもらったんです。2019年5月31日でした。ナオさんの思いに感動したことや、自分が将来やってみたいと思っていることをお話ししたくて、ミーティング後にいきなり話しかけましたね。

ほ：はじめましてなのに!?みのちゃん積極的やね！

み：はい（笑）。私自身の幼少期の経験から、病気で通院や入院をしている子どもたちにも、快適に過ごせる環境をデザインしたい！と考えていて。そんな想いをどうしてもお伝えしたくて、話しかけたんです。

ほ：確かに、ナオカケルの活動と共通する部分もあるね。

み：出会ってから4ヶ月経ったころ、『deleteC』のイベントで使うデザインのお手伝いをさせていただく機会があったんです。

ほ：私がみのちゃんと初めて会ったのも、その打ち合わせをした時だったよね！

み：そのタイミングでナオさんから、「ナオカケルでアルバイトしてみない?」とメッセージをいただいて。何をやるかよくわからなかったけれど「嬉しいです！ぜひやってみたいです!」と即答して、面接をしましょうと数日後にカフェでお会いしました。

ほ：面接ではどんな話をしたの？　直前にその日がみのちゃんの誕生日だとわかって、私はプレゼントを探していたから、ふたりの会話は聞いていなくて（笑）。

み：ナオさんも面接する側は初めてだったようで、「面接って何話せばいいんだー」とおっしゃっていました（笑）。一般的に面接で聞かれるようなことから始まって、ホスピタルデザインの話や大学での学び、どんなことに興味があるのか、などお話ししました。

ほ：私が合流してからは、面接なのに女子会みたいな雰囲気だったよね！　プレゼントに買ったポーチを渡して、誕生日だしケーキ食べようってなって。

み：それから、好きな歌手の話とか、休日の過ごし方とか。

ほ：あと、みのちゃんの彼氏の呼び名を当てるクイズとかね（笑）。

み：けっこう特殊な呼び方なんですけど、ナオさんがすぐに正解してびっくりしました（笑）。

ほ：私ね、その面接で印象に残ってることがあって。ナオさんがみのちゃんに、「最後に言いたいことってある？私たちに知っておいて欲しいこととか」って聞いた時。

み：なんでしたっけ？

ほ：「これが苦手です」とか「がんばります」みた

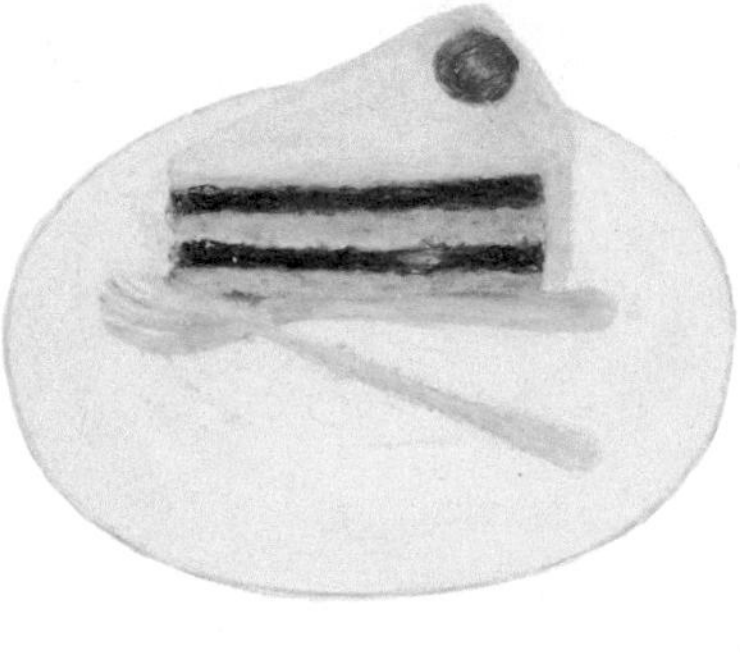

いな一言がくると思ってたら……。「私、見かけによらず、体育会系の部活にいたので結構打たれ強いんです！　なんでも言ってください！」って。

み：言ったかもしれません（笑）。

ほ：帰りの電車でナオさんと、「なんだか想像以上に面白い子だね」って話したんよ。

み：そういえば、私の面接もおふたりが出会ったのも「10月25日」なんですよね！

ほ：そうそう。みのちゃん面接のちょうど一年前、愛媛在住の絵本作家さんの展示会に同行させてもらって、10日間東京に滞在していたの。その期間中に、たまたまナオさんが『ニジノ絵本屋』（中島ナオの実姉いしいあやが営む絵本屋）で『IN HEAD WEAR』の商談をする日があって。

み：それが2018年10月25日……すごい偶然！

ほ：うん！　それで、わりと近くその商談を聞けることになって。ナオさんは、自分の経歴、がんの告知を受けてから考えるようになったこと、歩んできた道のり、ものづくりにおいてのこだわりとかを話していて、素敵な人だなあって聞き入ってしまったの。商談のあと、言葉の限り感動を伝えて、気が付いたら「何かナオさんの助けがしたいです！」って言ってた。

み：ほづきさんも積極的（笑）！

ほ：遠く離れた愛媛から何ができるのかはわからなかったけれど、それでもナオさんが実現したいことのために、力になりたい！　心からそう思って出た言葉だった。しばらくして、ナオさんから「一緒に働くために、こっちに出てきませんか？」ってメッセージが来て。このチャンスを絶対に逃しちゃいけない気がして、すぐに「行きたいです」って返事したの。でも、実は父には反対されていて。

み：それからどうしたんですか？

ほ：まだ東京へ行けるかどうか決まっていなかったのに、ナオさんはわざわざ愛媛の実家まで挨拶に来てくれたの。その行動力と優しさに触れて、あらためてすごい人だなって感じたよ。

み：素敵なエピソードですね。ふたりとも、ナオさんにスカウトしてもらったんですね！　一般的な採用だと、何かスキルや得意な分野があって、どんな貢献ができますか？　というイメージなんですけど、ナオさんは、「その人」とだったらどんなことが実現できるか、相手のことをよく知って、そこにいる意味を与えてくれる感じがします。

ほ：このスキルがあるから採用っていうより、イチから育てる系なのかな。でも、手取り足取り過保護じゃなくて、「考えて考えて、とりあえずあなたが思うようにやってみなさい！」って挑戦させてくれる。私たちの可能性を誰よりも信じてくれる。だから、何もわからないままでも飛び込めたのかも。

み：ナオさんはいつも、「私、人を見る目はあるんだ」ってドヤ顔してましたよね。

ほ：うん！　その言葉は本当なんだって証明するためにも、自分たちにできることを頑張りたいね！

episode 02

ゆるいナオさん

ほ：ナオさんて、きっと「しっかりしている人」ってイメージ持たれてるよね。

み：そういう部分もあるけど、あまり知られていない、そうじゃない一面もあったりして。

ほ：ナオさんの自宅で一緒にお仕事をしていた時に、メールの内容で確認したいことがあってね。話しかけようとしたんだけど、声をかけるのもためらうくらいにナオさんが真剣な面持ちでパソコンに向かってたの。

み：集中されてたんですね。

ほ：私は「きっと何か重要な資料に目を通してるんだ」って思ったから、邪魔にならないように、「ナオさん、お忙しいところすみません……」って近づいたら。「〇〇ちゃん、超かわいいよね！最近読めてなかったからさ！」って振り返ってきて。

み：ナオさんのその反応は、まさか……！

ほ：そうそう。ナオさんは、資料じゃなくて、ずっと応援しているハロプロの推しのブログを読んでたの（笑）。その時はちょっと拍子抜けしたけど、そういうところもかわいいなって思って。

み：私も、ナオさんのそういうお茶目なところ好きです！

ほ：私も好き！

み：私はナオさんと電話をつないでお仕事していた時の話があります。カタログのデザインデータをつくっていて、ナオさんは別のお仕事をしていたんですけど。

ほ：うんうん

み：しばらくして「ナオさんできました！確認お願いします！」って声をかけたら、「ん〜？あっ、寝てた」って。

ほ：それはびっくりだね（笑）。でも、ナオさんらしいかも。

み：他にも深夜に、お風呂の中で好きなアイドルソングを大熱唱していたこともあったらしいですね！こういうナオさんの素顔も、もっといろいろな人に知ってもらいたいなあって思います。

ほ：うん。ナオさんのお茶目なエピソードってまだまだたくさんあるもんね。ぜひ、いろいろな人に知ってもらいたいね。

episode 03

これも日常

み：ほづきさんが横浜で暮らしていた8ヶ月間は、ずっとナオさんと一緒に行動していたイメージがあります！

ほ：そうだね。仕事中だけじゃなくて、ごはんや毎朝の身支度、休日のお出かけ、それに病院の診察室まで一緒に入ったり。

み：ほんとにいつも一緒！診察室でも一緒だったんですね。

ほ：一緒に行きはじめたころ、「私が一緒に入ってもいいのかな？大丈夫かな？」って戸惑ったの。でもナオさんは、「病気のことも知ってもらった方が、きっとお互い気を遣わなくていいから。それに、わからないことは悪いことじゃないから何でも聞いてね」って。

み：私もナオさんとほづきさんからそう言ってもらいましたよね。

ほ：私たちともいろいろなことを共有して、一から関係を築こうとしてくれるナオさんだから、一緒に暮らしたり働いたりできたんだと思うな。

み：通院のときに印象的だったことってありますか？

ほ：大きい病院への通院は遠くて、待ち時間も長くて辛いし、あまり好きではなさそうだったかな。それでも、生きていくにはどうしたって必要なことで。だからって、大切な一日を憂鬱な気持ちだけで送るのはもったいない！って、ナオさんは通院先に楽しみをたくさんつくることにしたの。

み：楽しみをたくさんつくる！ナオさんらしいですね。

ほ：待ち時間が長いなら、その時間は快適に仕事ができるカフェで過ごそう！せっかく海の近くまで来たんだから、お昼はおいしい海鮮丼を食べよう！って。そんなナオさんを隣で見てきて、ナオさんにとっては、お仕事も生活も通院も、一つひとつが当たり前で大切な、日常のひとコマなんだなって思うようになったよ。

み：通院や治療にはもちろん大変なことも多いけど、視点を変えることで、できるだけ心地よく過ごせるようにしていたんですね。私たちの何気ない毎日にも、同じように工夫できることがまだまだ沢山あるかもしれないなって思いました。

ほ：そういえば、診察室で冗談交じりに先生から「隠し子？」って聞かれて、「うちの新しいスタッフです。あと、せめて妹って言ってください！」って笑って返事をしてたこともあったよ（笑）。

み：さすがに親子は……でも私も、初対面の時は姉妹かなって思ってました（笑）。

episode 04

社長

ほ：私たちにとってのナオさんって、社長ってだけじゃなくて、人生の先輩というか、お姉さんみたいな存在だよね。

み：本当に、そうですよね。

ほ：「ほーちゃん」「みのちゃん」って呼んでくれて、心の距離感も近いというか。

み：実は共通点も多いですよね。みんな三人きょうだいの真ん中っ子だったり、食べ物の好みが似ていたり、数字や計算が苦手だったり（笑）。

ほ：たしかに（笑）。

み：年齢も背景もバラバラだけど、一緒に働き始めてすぐの頃から、ずっと前からお友達だったかのような安心感がありました。

ほ：おしゃべりし始めると止まらなくなっちゃうよね（笑）。プレゼントを贈り合ったりもするもんね。

み：私は、ナオさんのお誕生日にスカーフをプレゼントしました。ほづきさんからはいつも、ご実家でつくられたみかんのジュースをいただきますね。

ほ：そうだね。みのちゃんと私の誕生日には、ナオさんからふたりにお揃いのピアスとイヤリングをプレゼントしてもらったよね。とっても嬉しかったなあ。

み：プレゼントや仕事の書類を送ってくれる時には、必ず手紙を添えてくれますよね。それが、すごくよく私たちを見てくれてるんだなって感じる内容なんです。

ほ：びっくりするよね。私が分かりやすいのかもしれないけど（笑）。小さな心情の変化とか、何かに悩んでるとかすぐ気がつくから、ナオさんは人の心を読む特殊能力も持っているのかも。

み：特殊能力（笑）。確かに、ふとした相談に対しても、本人以上に考えてくれますよね。

ほ：仕事のことだけじゃなくて、家族や自分についても、ナオさんは何日もかけて考えてくれて、「あの事なんだけどね、こうしたらいいと思うの」って、アドバイスをしてくれたこと数え切れないくらいあるもんね。

み：ナオさんからもらったものは、物だけじゃなくて、言葉も大切な宝物ですね。

ほ：うん！ふと立ち止まった時、「ナオさんだったら何ていうかな?」って考える。その問いかけに答えるように、ナオさんからもらった言葉が、心の中にあふれてくる。それは、励ましだったり、冷静な視点だったり、喝だったり、優しさだったり。これからも、ナオさんという存在に、たくさん救って支えてもらうんだと思うな。

episode 05

2人への手紙

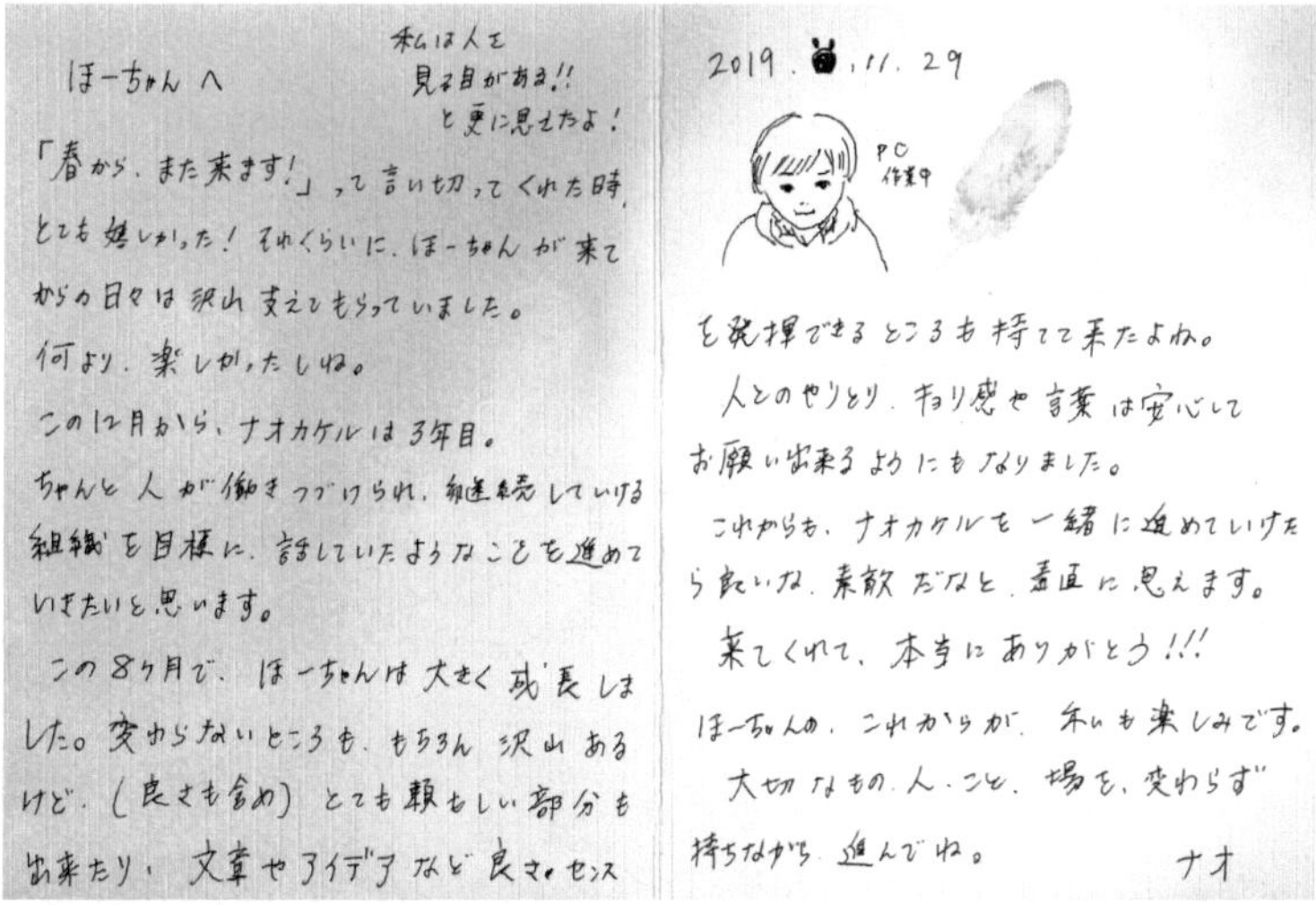

ほーちゃんへ

私は人を
見る目がある!!
と更に思ったよ！

「春から、また来ます！」って言い切ってくれた時、
とても嬉しかった！それくらいに、ほーちゃんが来て
からの日々は沢山支えてもらっていました。
何より、楽しかったしね。
この12月から、ナオカケルは3年目。
ちゃんと人が働きつづけられ、継続していける
組織を目標に、話していたようなことを進めて
いきたいと思います。
この8ヶ月で、ほーちゃんは大きく成長しま
した。変わらないところも、もちろん沢山ある
けど、（良さも含め）とても頼もしい部分も
出来たり、文章やアイデアなど良さ・センス

2019.11.29

PC
作業中

を発揮できるところも持てて来たよね。
人とのやりとり、キョリ感や言葉は安心して
お願い出来るようにもなりました。
これからも、ナオカケルを一緒に進めていけた
ら良いな、素敵だなと、素直に思えます。
来てくれて、本当にありがとう!!!
ほーちゃんの、これからが、私も楽しみです。
大切なもの、人、こと、場を、変わらず
持ちながら進んでね。
ナオ

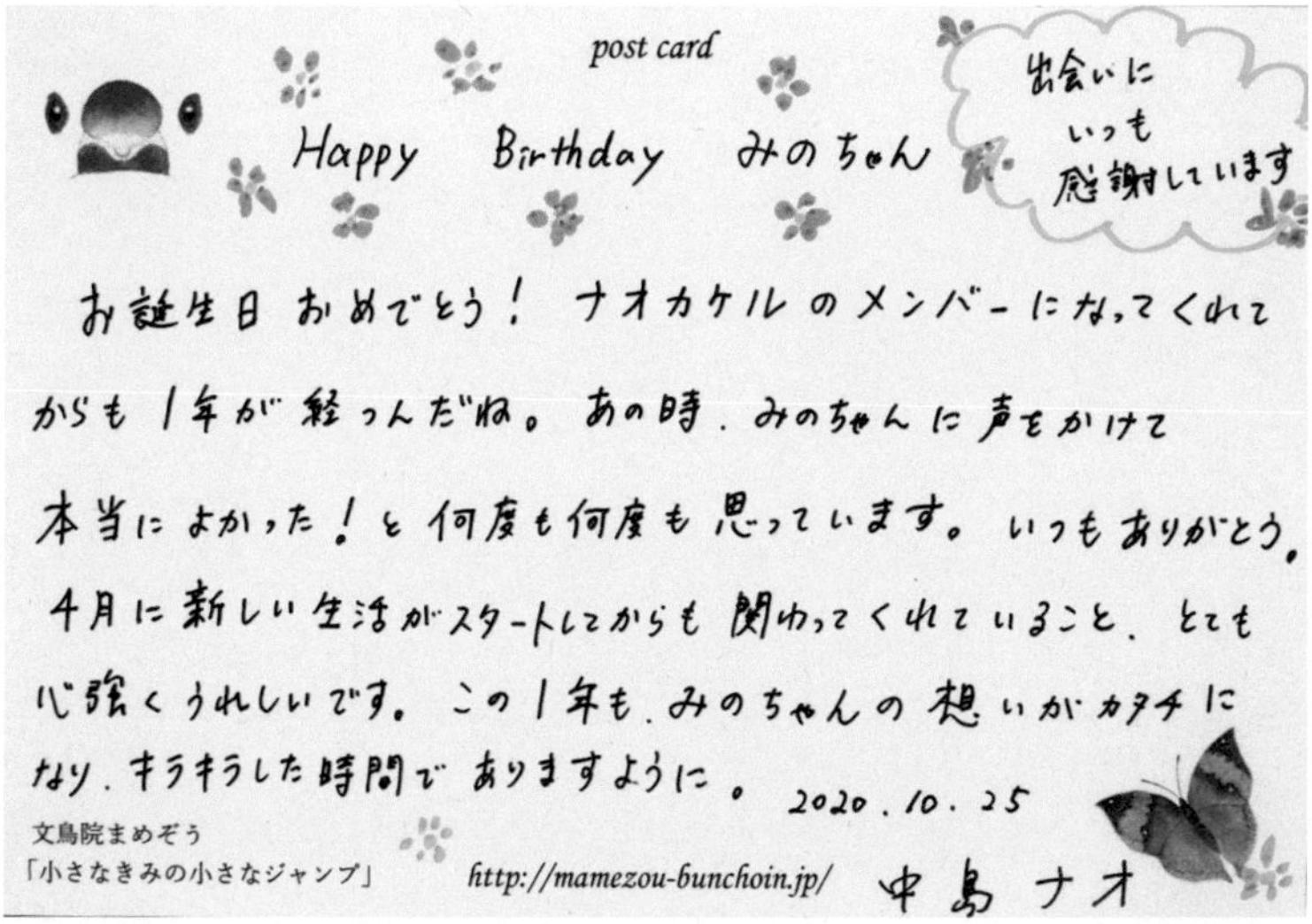

post card

Happy Birthday みのちゃん

出会いに
いつも
感謝しています

お誕生日おめでとう！ナオカケルのメンバーになってくれて
からも1年が経つんだね。あの時、みのちゃんに声をかけて
本当によかった！と何度も何度も思っています。いつもありがとう。
4月に新しい生活がスタートしてからも関わってくれていること、とても
心強くうれしいです。この1年も、みのちゃんの想いがカタチに
なり、キラキラした時間でありますように。2020.10.25
中島ナオ

文鳥院まめぞう
「小さなきみの小さなジャンプ」
http://mamezou-bunchoin.jp/

特別寄稿

妹と私

イラスト：小林由季

いしいあや：ニジノ絵本屋株式会社代表。中島ナオの姉であり、活動の様々なことを身近で見て、相談に乗ってきた。中島ナオに厳しくされながらも、ゆるーく支える担当。２０１１年に東急東横線「都立大学」駅近くにニジノ絵本屋をオープン。書店の他、自社レーベルをはじめとする絵本の企画編集・出版を行う。サマーソニックやグリーンルームフェスなど、国内外のフェスで絵本をテーマとしたライブを仲間のアーティスト達と手がける。活動を綴った『ニジノ絵本屋さんの本』（西日本出版社）が発売中。

一番近くで見る中島ナオ

中島ナオと一番時間をともにしているのは、姉の私だと思う。私が生まれた約2年後に妹が誕生したのだから、きっと、間違いない。一番話をしてきているのも、私ではないだろうか。

ともにしているのは、物理的な時間というより、精神的な意味での時間だと、私は思っている。約40年間にそれぞれのライフステージがあり、住む場所も違ったため、離れて暮らしていた時間のほうが長いかもしれない。それでも、お互いのいる場所へは必ず遊びにいっていた。

２０１１年以降は、私が『ニジノ絵本屋』を始めたあたりから、さらに同じ時間を過ごすことが多くなった。

仕事の悩み、恋愛のもやもや、身体のことなど。友人に話すには気がひけるし、親に言うのはちょっと違うなあ、というような内容のことを、電話やメール、出かける時の移動中にざっくばらんに話していた。相手にどう思われるかを気にしないでＯＫという遠慮のない意見交換は、これまでもこの先も、妹としかできないと思う。

妹は、「いしいあやを支える厳しい担当」だと公言していた。私が妹から身だしなみの指摘をされているシーンを目撃している人もいると思う。「またナオさんに怒られますよ」と、絵本屋のスタッフに言われることもよくある。ある時、なにかに掲載されていた私の写真を見て、髪型が変だと言ってきた。「なんでそんなに厳しいのさー」と聞くと、「他の人から残念に思われるよりマシでしょ」と言われていたものだ。

基本的に、私はすぐに妹を周りに紹介するし、どこかへ行くときは誘うことが多いので、私の友人や仲間は、妹の友人や仲間にもなっていく。妹からは、「その一緒くたにされている感じが嫌だ」と、昔はよく言われていた。でも、その環境が私には心地いいのだ。

だって、みんな一緒のほうが楽しいことが多いと思っているから。でも、妹とふたりで過ごす時間も好きだったので、ふたりだけで出かけることも、もちろんたくさんあった。

妹との旅

妹とは、大人になってからのほうが仲がいい。

妹が大学生で21歳、私が23歳くらいのとき、一緒に車の免許合宿に行った。妹の大学生協の申し込みで行ったのだ（私は大学生ではなかったが、行けた！）。パンフレットを見ながら、宿泊が個室で環境がいいところを探そうとふたりで調べ、行き先を長野に決めた。隣同士の個室が用意されていたが、14日の期間中、前半後半で分けて、ひとつの部屋にふたりで寝泊まりしていた。

後半になって新しい部屋に入ったとき、「この方法超いいね！」と盛り上がった。ふたりともマニュアルで申し込んだのに、私は途中で「君はこのままだと卒業できない」と言われ、すぐにオートマ限定に変更した。妹は、「私もやばいかも」と言いながらも、マニュアルで最後まで講習を受けて無事卒業した。

妹は、自分では頭が悪いとか成績がそこまでよくなかったと言うが、私からしたら妹は頭も良いし、私よりなんでもできる存在だった。何かあると、私は妹を頼ることが多かった。

車の免許合宿から約2年後、妹と西表島でレンタカーを借りて数日滞在したことがある。思いがけず真っ暗な夜道を宿まで帰らないとならなくなり、どっちがこの軽自動車を運転するんだ！となった。あまりに暗くて怖かったのだが、なんだかんだで妹が運転してくれた（妹は、自分の方がまだマシだと思ったからに違いない）。

２０１９年、私は1年のほとんどを、重度の気胸のため入院して過ごしていた。誕生日には妹がハッピーバースデーの垂れ幕を病室に持ち込んで、面会時間ギリギリまでお祝いしてくれた。長かった入院期間中、「忙しいんだよ」と言いながらも、仕事道具を持ってたびたびお見舞いに来てくれた。

同年2月4日に行われた『deleteC』キックオフイベントには、車椅子を使ってでも会場に行きたいと、ギリギリまで調整していた。しかし結局退院できず、友人にイベントに参加してもらい、LINEのビデオ通話で現場とつないでもらい、病室から妹の姿を見ていた。

私の肺の調子がなかなか良くならず、退院の目処が立たないことに、妹が「主治医の先生からちゃんと説明を受けて」と言うので、妹がお見舞いに来てくれたタイミングで、医師から私の病状についての説明を受ける機会を設けてもらった。一緒に説明を聞いてくれた妹は、とても頼もしかった。私の現状から今後のことについてなど、ズバズバと質問していくのだった。面談室から病室へ戻りながら、「この先も常に一緒に付き添えるわけじゃないんだから、しっかりして!」と、ぷりぷり怒られた。「これからも、大事な場面は付き添ってよ」と返事をしたが、その後、結局そういった場面に付き添ってもらうことはないまま今になった。

この先も、なにか大事な場面では、妹に頼っていたいのに。

支え合い、
想像を超えていく明日

2020年3月から、私は自宅の外に出ない生活を送っている。コロナ禍が収束しないためだ。この原稿を書いている今に至るまで、1年半以上自宅にこもっていることになる。仕事や買い物などで外出することのある家族とは、一緒に生活することを控えている。そのため、必然的に妹とも会うことを避けて過ごしていた。

2021年に入り、妹の体調があまり良くないと聞くたび、「コロナがおさまるまではせめて現状維持だよ。さすがに、一緒に過ごせないままとかないでしょう」と、冗談まじりに話していた。コロナがなかったら、一緒に生活していたことだろう。2月にこの本づくりを始めてからは、一緒にいたほうが作業が捗るのになあと何度も思っていた。LINEの通話履歴を見ると、かかってきてはかけてを一日に何度も繰り返しており、履歴がぎっしりと残っている。でも、もう何を話したか、細かいことは覚えていない。妹とのたわいもない会話なんて、いちいち覚えようとしてこなかったし、できるはずも

ない。

*

今、日常の中に、妹からのメッセージを探している自分がいる。あの時もらったあれに、もしかしたら何か書かれていたかもしれない。そう思って見ても、もちろん何も書かれていない。

今後のこととか、あんなにたくさん話していたのに、重要なこととかちゃんと伝えなくていいの? 本当になにもないの? どこかに秘密のメッセージとか隠していないの?

そんなことを思いながらも、きっと残ってないこともわかっていて。実は、こんな私をどこから見ているのか!? なんて思ったりして、でも、見ていないこともわかっている。

妹のやり残したたくさんのあれやら、これやらを代わりにやりながら、「姉妹ってこういうもんか」と、今は思っているところだ。

*

私たち姉妹には、計画が意味をなさないような不運なことも多いし、足りないこともたくさんある。順調にいかないことはわかっているが、心底信頼できる仲間が近くにいる私たちは、恵まれているなと思う。お互いにとって、仲間はなくてはならない存在だ。

これから先の未来。思い描いていたことや、周囲の想像さえ超えるような叶えたかったことは、ゆっくりだったとしても、ひとつずつ、確かに叶っていくのだ。私たちは、みんなで力を合わせて進めていくのだから。

出版したかった本も、形になったでしょう。去年、「deleteC 大作戦」を Twitter でトレンド入りさせたいと言っていたけれど、今年は叶ったじゃない。

心底信頼できる仲間に最大級の感謝をこめて、これからもやっていこう。

工藤あゆみさんと私たち姉妹

今回、章ごとの扉ページと第二章に素敵な作品を寄せてくださった、現代アーティストの工藤あゆみさんと私たち姉妹のことを、いしいあやがご紹介させていただきます。

工藤あゆみさんと、私たちの出会いは２０１６年のこと。あゆみさんが、活動拠点のミラノから岡山のご実家に帰省されていた時期と、ニジノ絵本屋が岡山での商談会に初参加するタイミングが合い、同年の６月に会うことができました。

岡山で初めて会ったときの写真（2016年6月）

私が２０１６年の９月から使っている、あゆみさんの作品「深呼吸」のスマホケース。くたびれては新調し、現在は３代目になります。私の生活に寄り添ってくれているスマホケースを見た妹が、「私もあゆみさんのにする！」と選んだのは、「伸び代バーンザイ」。大好きな言葉として、自分の周りの人たちにも伝えていました。

２０１７年３月、私たちはイタリアの「ボローニャ・チルドレンズ・ブックフェア」の会場で再会します。

あゆみさんも妹も私も、それぞれの活動の中で、会えるときに会える場所で会ってきました。東京、神奈川、岡山、イタリアで。この数年間、年に何回も会えたことを思うと、あゆみさんと私たち姉妹は、離れていても、心の距離はとても近くにあったんだなあと、感じています。

２０１７年から２０１８年にかけて、あゆみさんと妹は一緒に本づくりを進めていました。いつか形にできたらと、作品づくりの合宿へ行ってもいたのです。

そのお話はまたの機会に。

ナオが愛用していたスマホケース。「ナオさんのえがおにあいにゆく低空飛行でも前へ」とあゆみさんからのメッセージも

ボローニャで再会したときの写真（2017年3月）右が工藤あゆみさん。真ん中はイタリアの児童書出版社 Kira Kira Edizioni のエレナさん。左があゆみさんの旦那さんで彫刻家の工藤文隆さん

あゆみさんと私たち姉妹が最後に一緒に会ったのは、２０２０年5月11日。コロナ禍で対面で会うこともままならない日々のなか、妹の38歳の誕生日に合わせてオンラインイベントを開催しました。あゆみさんはイタリアから、私たちはそれぞれの自宅から。妹ともしばらく会えていない状況下でのオンラインイベントでした。

また妹と一緒に、イタリアへあゆみさん家族を訪ねに行っている様子が、リアルに思い浮かんでいます。

2020 年 5 月 11 日
オンラインイベントの告知画像

私から見た、あゆみさんとナオ

ふたりとも「つくり出す人」「生み出す人」です。あゆみさんとナオはともに、世の中に、自分の中にある信念や哲学を、制作や行動を通じて、第三者に伝えていく表現者だと思います。

そして、それぞれのとても個人的な経験や想いが基礎になっているのに、その表現を受け取った人たちは、救われたり、癒されたり、刺激を受けたりしているように感じます。自分たちの物語が、誰かの物語の助けになっているような感じが、ふたりの共通点なのかもしれません。きっと、ふたりの物語が、それぞれに共鳴し合っていたのかなあと、そばで見て感じていました。

あゆみさんとナオが一緒につくっていた作品は、まだ完成していません。ですが、今後形になったときに、ナオがあゆみさんを大好きだと言った理由、あゆみさんがこのナオの本に作品を寄せてくれた理由を、みなさんにお伝えできるのかなあと思っています。

それぞれの物語が重なりあい、新しい物語が生まれ、それを受け取る別の物語を生きている人がいて……そんなふうに、どんどんつながっていく。そんな少し先の未来を、思い浮かべています。

おわりに

「はじまりになる、おわりの言葉」

2021年4月初旬。ナオは自分の身体の声に耳を傾け、持てる全ての力を込めて、維持するために過ごしていました。また、好きなことができる日のために。

この『がんをデザインする』の書籍の打ち合わせや取材などを進める中で、「おわりの言葉、考えてる?」と、ナオに聞いたことがありました。無理をせずに進めてほしい思いがありつつも、ナオは慎重で、言葉を選ぶときに時間がかかるので、「そろそろ頭の隅で考え始めたら?」と、何気なく伝えました。「今は全然考えられない。本のカタチがもう少し見えてきたら書くよ」そう言っていました。数日経って、もう一度聞いたときも同じような返事でした。

4月中旬。ナオはときどき、「何かあったよね。する事あったよね?」と聞いてきました。この書籍のこともそうでしたが、それ以外にも、ナオにとって気がかりなことがいくつも控えていました。「あるけど、今じゃなくても大丈夫」と伝えると、「なあんだ良かったの? 大丈夫だったのか」と、安心したようにホッとした表情になりました。

今となっては、ナオが『おわりの言葉』にどんな想いを込めようとしていたのか、本当のことはわからないままです。もし今、ナオが隣にいたなら、「おわりの言葉、全然思い浮かばなかった。イメージが湧かなかったから別の言葉にしたよ」なんて、言ってるような気がします。

そんな、〝もしかしたら〟のおわりの言葉を記します。

これから続く日々の暮らしの中では、
思いがけないことが、いくつも起きると思う。

そんなときは、慌てず、決して無理をせず、少しだけ静かに考えてみて。
きっと答えが見つかるはずだから。

それでも、答えが見つからず困ったら、誰かを頼ってみる。
そうして大丈夫になったら、
次は困っている誰かの声に気づいて、頼ってもらえるような人になる。

そんな自分がいることで、
周りの人が、少しでも楽になったり、明るい気持ちになってくれたら、
自分も幸せな気持ちになる。

そんな生き方も、いいと思うよ。

ナオを知っている方、応援してくださった方、この本を手に取ってくださった、すべての方に。ここで終わりではなく、「ここから始めて欲しい」と、伝えたかったのではないかと思うのです。

今もナオが隣にいる世界だったとして、この書籍を出版したその後の日々を想像してみました。

少し元気になったナオは、パソコンに向かい、LINEの返信をして、糸や布で作りかけの物を手に取り、たまにベランダのオリーブの実が育っていないか確かめたりと、いつものように日常に戻って、仕事の続きを始めたことでしょう。

合間には、オレンジジュースやリンゴジュース、カルピスに炭酸を入れて飲んだり、大好きなパクチーキウイアイスやプリンを食べたりと、おやつの時間をニコニコと楽しんでいたことでしょう。

頑張りすぎて、たまに疲れてしまうけれど。それでも嬉しそうに楽しそうに、ずっとそうしていたかっただろうと思います。

*

7年前。自分の人生をどうしたら良いのだろうと、答えの見つからない問いに向き合い、ずっと考え続けていました。それでも自分の可能性を信じて、常に新たな道を見つけていました。そのときどき、考えては選択をして、前へ進み続けました。先に続くはずの道がふさがれたような状況であっても、自分を信じていました。

ひとりでは到底叶わなかったことが、少しずつ形になっていくことが喜びになり、それが前へ進み続けるための大きな力になりました。体調のことも含め、全てが奇跡のようでした。それがずっと続くものだと信じることが、救いになっていました。

家族と一緒の場面では、幼かった頃のナオがたまに顔を出して、弟と他愛もない冗談を言い合っていました。別の場面では、姉よりも的を射たことを落ち着いて語っていました。そのときどきのギャップがあり、今思い出しても笑えます。そうすることで、自然とバランスを取っていたのかもしれません。どちらのナオも、いつか、ふらりとみんなの所に現れるような気がしています。

これまでの38年と11ヶ月。ナオとつながってくださった全ての方々は、ナオがどのように生きていこうかと悩みながら決めて進んでいくたびに、計り知れないほどの大きな影響を与えてくださいました。人生を諦めずにしなやかに生きたナオを、誇りに思います。

ナオが伸ばした手をつないだ方からいただいた温かな優しさは、細い木に出た芽が葉になり葉脈を流れる養分や水になりました。その木は、葉を茂らせ季節が変わるたび少しずつ成長して、やがて木陰がつくれるようにとナオに託されていると感じます。

最後になりますが、この書籍『がんをデザインする』を完成させるにあたりお力添えいただきました多くのみなさまに、ナオに代わりまして心よりお礼を申しあげます。

ありがとうございました。

中島ナオの母より

編集後記

1

「『残す』ためではなく、『磨く』ための本をつくりたいと思っています」

中島ナオさんは、2021年3月11日にお話しした際、そのように言っていた。「磨く」とは、ナオさんの2021年の目標でもあった。同年1月20日のInstagramには、こう書かれている。

“目標は「磨く」にしました！
磨きにくい状態でもあるから言葉にすることを迷ったのですが
だからこそ、磨いていきたい！！！
自分もブランドも会社も活動も。”

＊

2021年3月2日、ナオさんのお姉さんであるあやさんから、メッセンジャーで連絡をもらった。久しぶりの連絡だった。

ナオさんの活動をまとめた本をつくりたいということ。ナオさんの体調の良し悪しには波があるということ。印刷を依頼する藤原印刷・藤原章次さんとの会話の中で、共通の知人でもあるアンドサタデーのふたりがいいのではと話題にのぼったということ。編集とデザインを全てお願いしたいということ。

断る理由なんて、もちろんひとつも見つからなかった。「ぜひ、お受けさせていただきたいです」。そうしてすぐに、本づくりは始まった。

3月4日、zoomであやさんから詳細を伺い、
3月5日、zoomでナオさんを含めたナオカケルチームとの顔合わせを行った。

誰に届けたいのか？何を伝えたいのか？どうして本なのか？メンバーのあふれる想いを受け止め、内容を整理しながら、何度も何度も構成を練り直していく。

3月8日、ナオカケルチームのほーちゃんとみのちゃんに3時間にわたって想いを聞いた。
3月11日、ナオさんに初めてのインタビューを行った。
本をつくるには、これまでのナオさんの人生、これからのナオカケルとしての未来、その全てを知る必要があった。

「『残す』ためではなく、『磨く』ための本をつくりたいと思っています」

話を伺うなかで最初に出てきたのが、この言葉だった。

2

「なんだろうな。なんか『残す』という言葉は浮かびがちだと思うんですけど、なんかその言葉よりも『磨く』のほうがしっくりくる気がしていて。この本づくりを通して、あらためてナオカケルがやってきたことを言葉にしたり見直したりして『磨く』ことにつながるといいし、私もメンバーも本づくりを通して成長することで自分を『磨く』ことができるような、そんな機会になればいいなと最近思っています」

一冊の本を通して、読者に対してだけではなく、関わる全ての人が今よりもっと輝けるように、との願いがナオさんの口から語られた。

3月15日、ご自宅へ伺ってナオさんとお母様のゆう子さんに話を伺った。ナオさんは、キャメル色の『Canae』のワンピースがとても似合っていた。

本や資料をずらりとテーブルに並べて、こんな雰囲気はどうかしら？ こんな本もいいねと、初めて本のデザインについても言葉を交わした。本にはたくさんの付箋が貼ってあった。ナオさんとゆう子さんが、一冊一冊ページをめくりながら、時間をかけて選んだのだろう。

ナオさんの人生についてお話を伺うのと並行して、ナオさんにとって転機となるようなタイミングで出会った、三人の方との対談が決まった。

3月18日、ナオさんを象徴する商品でもある『N HEAD WEAR』を一緒に手がけた、帽子職人の武市暁さん。
3月19日、ナオさんの高校時代の親友であり、今なお変わらず親交の深い、俳優の内田慈さん。
4月7日、ナオさんの想いに寄り添い一緒に走り続けてきた、『deleteC』の小国士朗さん。

「こうやって話す機会って実はほとんどなくて。本当にいい時間でした」

ゆっくりと当時のことを思い出し、ときに笑いながら語りあう時間は、とてもやさしくあたたかくて、やわらかだった。その後も、ナオさんの体調を最優先しながら、zoomで細かなインタビューや打ち合わせを重ねた。

4月1日、ナオさんも我々もとても楽しみにしていた、ナオさんの写真撮影の日。体調が奮わず叶わなかった。回復したらリベンジしましょうと、ナオさんは逗子へ遊びに来ることをとても楽しみにしてくれていた。
4月10日、表紙の打ち合わせでは、ナオさん自ら資料を作って頭の中にあるイメージを共有くださった。

3

そして、4月16日。インタビューを約束していたその日、ナオさんの体調もあまり優れないとのことから、進捗を共有したりこの後の進め方を相談したりして、20分程度でzoomの画面を閉じた。

「また連絡しますね」

それが、私たちとナオさんとの最後の会話だった。

*

“私たちは彼女の意思を尊重して、今日、本プロジェクトをスタートさせることに致しました。本プロジェクトは、ナオカケル株式会社が責任をもって担います。中島ナオが本当に楽しみにしていた本作りなので、みなさんも一緒に完成を楽しみにしていただけたら、メンバー一同心より嬉しく思います。”

4月27日、この言葉とともに、『がんをデザインする』の本を多くの方に届けるためのクラウドファンディングが始まった。クラウドファンディングは当初から挑戦することに決めていて、直前までナオさんとナオカケルチームでページやリターンを考え、進めていたものだった。
5月25日、600名もの方からあたたかい応援やメッセージをいただき、クラウドファンディングは無事に終了した。安堵とともに、ナオさんの生き方が、どれだけ多くの人に力を与えていて、背中を押していたのかを痛感した。

ナオさんは、「あかるく、かるく、やわらかく」を、体現して生きている人だった。それは、ナオさんと本づくりに励んだ2ヶ月ほどの間でも常に感じていて、体調が優れないなか、誰よりも前を向いて最後まで本づくりに取り組んでいた。チームのみんなを不安にさせないように、いつもやさしい声を聞かせてくれていた。

6月、7月、8月、9月。
バトンを渡された私たちは、寝ても覚めてもナオさんのことを考えていた。ナオさんが今まで積みあげてきた多くを、丁寧に丁寧に『磨く』ことを重ねた。ナオさんの人生を、思考をたどる、長い旅路のようでもあった。

ようやくバトンは次の手に渡る。それは、この本を手にとってくれたあなたに他ならない。
『がんをデザインする』に込められた希望が、願いが、想いが、どうかたくさんの人に届き、つながっていきますように。

2021年10月　andsaturday inc. 庄司真帆・庄司賢吾

クラウドファンディングにご支援くださったみなさま

「がんをデザインする」のクラウドファンディングを応援くださった 600 名の支援者のうち、「＜とにかく応援してくださる方向け＞ ご祝儀プラン」をご支援くださったみなさまのお名前を掲載させていただきます。

心からお礼申しあげます。（敬称略）

穐津 協子、浅井政晃税理士事務所、あちゃ、飯島 里奈、市原 睦子、伊藤 彩、伊藤 康江、稲葉 禄子、入澤 諒、うのまみ、生方 裕美、えがしら みちこ、えほんやさん、遠藤 俊太郎、大崎 雅美、大島 洋子、大町 麻衣、奥野 友介、小沢 由梨乃、おむすびひろば、カネミ農園、河合夫婦、川田 夏子、北村 真梨子、木寺 紀雄、君羅 好史、久米田 彩、KEIKO、小林 令奈、小林 隆幸、駒谷 誠、小森 伸一、五来 未佑、齊藤 由貴、佐藤 央子、さわの めぐみ、柴田 けいこ、島藤 諭完、志村 季世恵、Siew Mee Mee、ジョンソン 禎奈、白江 徹一、すずか えつこ、鈴木 奈津美、鈴木 信子、砂川 真理子、瀬戸口ファミリー、副島 綾、田中 宏曉、田村 知子、tupera tupera、寺石 マナ、東京学芸大学環境・プロダクトデザイン研究室、東城 直枝、TOMOMI.H、豊沢 基晴、nao shirota、中島 香織、なかはた よしこ、中屋 裕子、生頼 由香、新村 純一、日本遊育研究所、橋本 千尋、林 るい、葉山 潤奈、原田 未来、樋浦 直樹、ピースマインド株式会社 代表取締役社長 荻原 英人、日比野 由依子、日比野、藤松 翔太郎、HOZUKI YAMAUCHI、前田 健治、マサケン、ますざわ、松原 守、mayuko、三本 尚香（代理：綾実）、宮澤 奈穂子、村岡 浩司、牟田 いずみ、山口 知一、山崎 多賀子、山田 めぐみ、山本 健人、山本 裕美、柚木 庸輔、吉武 佳寿美、WoW キツネザル / あまり

がんをデザインする

発行日	2021 年 10 月 25 日　初版第 1 刷発行
著者	中島ナオ
企画・監修	山内穂月・間嶋みのり（ナオカケル株式会社）
表紙写真	木寺紀雄
本文写真	乾 祐綺、木寺紀雄、木村雄司、テライシマナ、原 未来、MIMOZA photograph
章扉・第 2 章作品	工藤あゆみ
編集	庄司真帆・庄司賢吾（株式会社 andsaturday）
デザイン	庄司賢吾、藤本あゆみ
校正	株式会社鷗来堂
協力	山口恵子・家冨未央・田澤玲子（特定非営利活動法人 deleteC）、藤松翔太郎、東京学芸大学の教員有志・友人一同
発行者	いしいあや
発行元	ニジノ絵本屋株式会社 〒152-0032 東京都目黒区平町 1-23-20 https://nijinoehonya.com
印刷・製本	藤原印刷株式会社

deleteC | みんなの力で、がんを治せる病気にするプロジェクト

ナオカケル株式会社

ISBN978-4-908683-28-2 C0036
Printed in Japan